C'EST LA FAUTE À OVECHKIN

Catalogage avant publication de Bibliothèque et Archives nationales du Québec et Bibliothèque et Archives Canada

Gélinas, Luc, 1965-

C'est la faute à Ovechkin

Pour les jeunes.

ISBN 978-2-89647-973-3

I. Titre.

PS8613.IE53C4 2012 jC843'.6 C2012-941262-7
PS9613.E453C4 2012

Les Éditions Hurtubise bénéficient du soutien financier des institutions suivantes pour leurs activités d'édition :
– Conseil des Arts du Canada ;
– Gouvernement du Canada par l'entremise du Fonds du livre du Canada (FLC) ;
– Société de développement des entreprises culturelles du Québec (SODEC) ;
– Gouvernement du Québec par l'entremise du programme de crédit d'impôt pour l'édition de livres.

Maquette de la couverture : René St-Amand
Illustration de la couverture : Kinos
Maquette intérieure et mise en pages : Martel en-tête

ISBN 978-2-89647-973-3 (version imprimée)
ISBN 978-2-89647-974-0 (version numérique PDF)
ISBN 978-2-89723-064-7 (version numérique ePub)

Dépôt légal : 4e trimestre 2012
Bibliothèque et Archives nationales du Québec
Bibliothèque et Archives Canada

Diffusion-distribution au Canada :
Distribution HMH
1815, avenue De Lorimier
Montréal (Québec) H2K 3W6
www.distributionhmh.com

Diffusion-distribution en Europe :
Librairie du Québec/DNM
30, rue Gay-Lussac
75005 Paris FRANCE
www.librairieduquebec.fr

Imprimé au Canada
www.editionshurtubise.com

Luc Gélinas

C'EST LA FAUTE À OVECHKIN

Hurtubise

Journaliste sportif bien connu, **Luc Gélinas** travaille pour RDS depuis vingt ans. Il est l'auteur des best-sellers *La LNH, un rêve possible,* tomes 1 et 2, qui retracent les parcours dans le hockey mineur de quatorze joueurs professionnels. Père de deux filles et d'un garçon, il signe ici son premier roman pour les adolescents.

À mon fils Guillaume que j'aime
et qui remplit ma vie d'immenses
moments de bonheur depuis 1994.

1
Le grand jour

Quand la sonnerie de son téléphone retentit à tue-tête, Félix n'a même pas la force d'ouvrir les yeux. Il sait trop bien qu'il est sept heures, car il vient tout juste de s'endormir. Il a passé une bonne partie de la nuit à étirer le bras vers sa table de chevet pour prendre son téléphone cellulaire et regarder l'heure. Machinalement, en grommelant, la tête enfoncée dans son oreiller, il tend la main pour la millième fois et il saisit le damné cellulaire pour que la populaire rappeuse Nicki Minaj arrête de chanter *Starships*. Il n'a jamais réellement apprécié ni la chanson ni l'interprète. C'est son amoureuse qui l'a programmé pour lui, afin qu'il se réveille chaque matin en pensant à elle.

Pourtant, vers minuit, Félix était plutôt fatigué quand Emma est rentrée chez elle et qu'il est descendu se coucher dans sa chambre au sous-sol. En fait, pour dire la vérité, il l'a presque foutue à la porte. Pour la première fois depuis leur petite chicane de la Saint-Valentin, Félix voulait dormir tout seul. Cette fois, par contre, il n'était pas fâché. Il voulait faire le vide, pour bien dormir et être dans une forme resplendissante pour la journée la plus importante de sa vie.

Son portable vibre de nouveau et la voix de Nicki Minaj recommence à résonner. Ça ne peut pas déjà faire cinq minutes qu'il s'est rendormi? Pourtant, Félix a l'impression qu'il n'y a qu'une dizaine de secondes qu'il a fermé les paupières. C'est bizarre, la vie. La nuit s'est égrainée comme un interminable cours de mathématique et maintenant qu'il a enfin trouvé le sommeil, cinq minutes disparaissent le temps d'un clignement de cils.

La reine du hip-hop ne chantera plus son succès endiablé ce matin à Louiseville et Félix n'ira pas courir comme prévu. Le scénario qu'il a concocté la veille est bon pour les poubelles, car dormir est maintenant devenu sa priorité en ce chaud matin de juin. Assis dans son lit, l'adolescent de seize ans éteint son cellulaire en se disant que sa mère viendra probablement le tirer de ses draps pour le déjeuner. Il faut qu'il dorme encore au moins une heure.

Félix rassemble ses oreillers et tire le drap pardessus sa tête tout en gardant une mince ouverture près de son nez pour respirer. Emma s'est toujours moquée de cette manie inusitée de plonger sous les couvertures, mais il a toujours dormi de cette façon. D'aussi loin qu'il se souvienne, il a dissimulé sa tête sous les couvertes pour se cacher des diables, des vampires et des esprits maléfiques qui, à tout moment, pouvaient faire irruption dans sa chambre. Depuis quelques années, il se terre toutefois ainsi pour éviter la lumière. Félix Riopel a besoin de l'obscurité totale pour fermer l'œil et s'endormir. C'est pour cette raison d'ailleurs qu'aujourd'hui, il utilise l'alarme de son portable comme réveille-matin. À trois heures quarante-six bien précisément, incapable de supporter les gros chiffres aveuglants du radio-réveil, Félix l'a empoigné fermement et a tiré d'un coup sec vers lui pour le débrancher en échappant un soupir de soulagement. Cette envahissante lueur rouge n'allait enfin plus jaillir dans la pièce.

C'était la première fois qu'il se rendait compte à quel point cet appareil éclairait fort. Comment avait-il pu endurer un supplice semblable pendant toutes ces années ?

Du coup, ça lui a rappelé cette nuit de décembre, où il avait voulu s'allonger sur le canapé du salon pour surprendre le père Noël. Non seulement il ne l'avait même pas vu, mais en plus, il avait été impuissant à trouver le sommeil en raison des petites ampoules de ce fichu sapin qui inondaient la pièce de clarté. Il devait bien avoir neuf ou dix ans et il voulait se convaincre que le père Noël existait vraiment, sauf qu'en même temps, il souhaitait aussi le contraire. Il se disait que si tout ça n'était qu'une invention des adultes, c'était forcément la même chose avec les démons et les mauvais esprits. Cette équation s'avérait logique, et surtout très rassurante.

Et voilà. C'est reparti. Son esprit vagabonde de nouveau. Son cerveau recommence à divaguer en s'amusant à faire du coq-à-l'âne. C'est ce qui s'est passé toute la nuit et c'est pour cette raison qu'il a été incapable de bien dormir. À seize ans, en ce matin le plus important de sa vie, comment peut-il être en train de faire un parallèle entre le père Noël et les esprits? Ah oui, la lumière! D'ailleurs, il faudrait peut-être remplacer le store par un rideau opaque, car à cette heure-ci, les rayons du soleil s'infiltrent dans la chambre.

Félix s'est questionné toute la nuit et il récidive encore malgré lui. Il sait qu'il doit se calmer et se rendormir au plus vite, sinon ça va recommencer et il sera fatigué toute la journée. Il faut qu'il arrête de penser et qu'il dorme coûte que coûte. Et si sa mère se réveillait elle-même en retard? Ça ne s'est jamais produit auparavant, mais on ne sait jamais! Pas le choix, il pousse sa douillette rouge et blanc d'Équipe Canada pour reprendre son téléphone afin de mettre l'alarme à huit heures... juste au cas. Grave erreur: il constate qu'il a déjà reçu quatre messages texte. Il n'est que sept heures quatorze et déjà des amis l'ont contacté. Il n'ose pas imaginer ce que ce sera sur Facebook tantôt.

5 h 22: En tk bonne chance Fé. Je pars travailler au Tim. Je t'aime. Ju xx

6 h 58: Chu tlm fier de toi l'couz. Daph xx

7 h 4: J'te t'chek le gros. On peux-tu suivre ca sul web? Good luck. Phil

7 h 6: Je viens d'entendre ta sonnerie. Je fais des crêpes pour toi mon fils. Je t'attends. Maman xxx

Pourquoi vouloir dormir? Pour être en forme? Non, pas vraiment. Si tout se déroule comme prévu, Félix n'aura qu'à sourire et à donner de solides poignées de main.

En s'interrogeant sur ses motivations profondes à espérer se bercer au plus vite dans les bras de Morphée, il se rend compte qu'il ne s'endort pas pour la simple et bonne raison qu'il n'est pas fatigué. Il le sera inévitablement au cours de la journée, mais pour le moment, son corps autant que son esprit sont survoltés et pleins d'énergie. Toujours étendu, le jeune insomniaque sent une soudaine poussée d'adrénaline l'envahir en pensant à ce qui l'attend. Toute la nuit, il a été anxieux ; maintenant, il est nerveux et même effrayé... Ce samedi matin, c'est enfin le grand jour. C'est agréable et très gratifiant de recevoir des messages d'encouragement. Par contre, c'est d'autant plus terrifiant d'imaginer que sa famille et ses amis pourraient être déçus. Félix sent son cœur battre dans sa poitrine, il pose l'index de la main droite sur son poignet gauche et commence à prendre son pouls. Une larme coule sur sa joue. Il ne sait même pas si c'est parce qu'il est heureux ou parce qu'il se sent mélancolique. Il cesse de compter les battements, se relève et s'assoit. Le portable indique sept heures vingt-trois. Finalement, à bien y penser, la nuit est bel et bien terminée. Félix ne s'endort plus, il désire profiter de cette journée au maximum et ce n'est pas en restant couché qu'il pourra le faire.

— Maman ! J'ai bien reçu ton message pour les crêpes, crie Félix de l'embrasure de la porte de sa chambre au sous-sol. J'ai essayé de me rendormir, mais j'y arrive pas. Il fait trop chaud, alors je vais courir un petit six ou sept kilomètres.

— C'est une bonne idée, ça, mais ne tarde pas trop, lui répond doucement Line qui s'est approchée en haut des escaliers pour ne pas hurler comme son fils, car Véronique dort encore paisiblement.

— Sérieux, mom, je serai revenu dans trente minutes. Ça va me calmer un peu d'aller courir ! Je sais pas pourquoi, je me sens un peu nerveux, rétorque Félix avec un sourire éblouissant.

La tête accotée contre le mur, sans rien ajouter, en souriant à son tour, Line regarde son fils fermer la porte et disparaître dans sa chambre pour enfiler ses vêtements de jogging. Il y a longtemps qu'elle ne l'a pas vu aussi radieux. Immobile et perdue dans ses pensées, elle se dit qu'elle non plus n'a pas connu un sentiment semblable depuis des années. La vie ne l'a pas épargnée depuis quatre ans, cependant les choses se placent et aujourd'hui, ce sera une grande journée pour toute la famille. Du moins, elle le souhaite ardemment.

Installé devant le gigantesque miroir de la salle de bain de ses parents, Félix refait son nœud de cravate pour la cinquième fois. C'est primordial d'être impeccable aujourd'hui et cette fois la longueur est tout simplement parfaite. Félix s'y connaît drôlement dans ce domaine! Tout jeune, le dimanche matin, c'était toujours lui qui décidait quel complet son père André porterait pour aller travailler, et ensuite, il s'entraînait avec lui à nouer une cravate en imitant méticuleusement chacun de ses gestes. Ça le fascinait de voir son père attraper sa cravate et l'enrouler de façon irréprochable autour de son cou en quelques secondes. Déjà perfectionniste, le petit Félix répétait patiemment les mouvements du paternel sans se lasser. Ce rituel, somme toute assez banal, était malheureusement le seul moment que l'enfant pouvait passer avec son père le dimanche et c'était pour lui un instant précieux. Gérant du rayon de l'électronique chez Sears, André Riopel se démenait sans ménagement pour conjuguer carrière et vie familiale. Les week-ends, il se voyait dans l'obligation de travailler. Avec tous ces clients qui envahissaient le centre commercial, il n'avait pas vraiment le choix.

— Wow! T'es vraiment beau, Félix, lui lance Véronique en entrant dans la salle de bain avec une brosse à cheveux dans une main et sa trousse de maquillage dans l'autre.

— Arrête de me niaiser. C'est pas la bonne journée pour tes farces plates de jeune sœur conne. T'es ben mieux de t'arranger pour pas me faire honte aujourd'hui en disant des niaiseries devant du monde que tu connais pas.

— Merci, monsieur Félix Riopel. C'est très gentil de me répondre comme ça quand je te fais un compliment, réplique Véronique en échappant un long soupir.

— OK, c'est bon, sœurette, je pensais que c'était encore un de tes petits sarcasmes que toi seule trouves drôle. Viens ici et fais-moi un gros câlin, s'il te plaît. Tu sais que je t'aime, toi?

— Non, je l'sais pas. T'es toujours méchant avec moi. Je viens d'avoir quatorze ans et tu me traites encore comme si j'étais un petit bébé de maternelle. Moi, je suis fière d'être ta sœur et toi, on dirait toujours que t'as honte de moi quand tu me croises à l'école. Je te dis bonjour et tu me réponds même pas quand t'es avec tes amis stupides qui pensent juste au hockey. Garde-les, tes câlins, car moi, j'en ai vraiment marre que tu me traites comme une moins que rien, jette sèchement Véronique en haussant le ton.

— Bon… ça recommence. T'as qu'à sortir de la salle de bain, madame la persécutée. J'étais ici en premier, alors arrête ton cinéma et fais du vent.

— Mais tu fais rien ici à part te regarder dans le miroir en te trouvant beau. Alors, c'est à toi de dégager. Et de toute façon, on partira pas tant que je serai pas prête, alors si tu veux pas être en retard pour ton fameux repêchage, t'as intérêt à changer de place pour que je commence à me maquiller.

À court de munitions devant cet argument de poids, Félix fusille sa sœur des yeux et bat en retraite. Véronique, comme à l'habitude, vient d'avoir le dernier mot et elle le regarde tourner les talons en répliquant avec son plus beau sourire.

C'est le premier épisode entre eux aujourd'hui et il devrait logiquement y en avoir encore une bonne demi-douzaine d'ici la fin de la journée. Inséparables, le frère et la sœur sont souvent ensemble, mais ils ne peuvent néanmoins s'empêcher de se quereller à répétition.

De sa chambre, Line a entendu ses enfants se chicaner, mais elle n'a même pas senti le besoin d'intervenir. Une prise de bec semblable, c'est de la routine chez les Riopel!

— Allez! Arrangez-vous pour être prêts dans dix minutes si vous voulez qu'on parte à l'heure prévue, crie Line pour s'assurer qu'on l'entende bien dans toutes les pièces de la maison. Et Véro, j'espère que tu te sens directement visée, car c'est surtout à toi que je m'adresse, ma belle.

— Ben oui, je vais être prête, maman. De toute façon, c'est pas comme si j'avais vraiment besoin de maquillage. Je suis pas comme Emma… J'ai pas besoin de perdre une heure pour me mettre belle.

— Mamaaaan! Dis-lui de pas mêler ma blonde à ça, hurle Félix qui a tout compris depuis le rez-de-chaussée. Si elle est pas prête à neuf heures, on a juste à partir sans elle. Elle va quand même pas gâcher ma journée. Déjà que cette petite chipie en manque d'attention me ruine la vie sans arrêt, ajoute-t-il en murmurant.

— En passant, Félix, veux-tu que je descende mon *make-up* pour le gros bouton qui t'est poussé sur le front pendant la nuit? réplique candidement Véronique sans perdre une seconde.

Véronique 2, Félix 0. La petite sœur vient encore de marquer. Cette fois, Félix est ébranlé. Il préfère se taire, concéder le point et lui foutre la paix pour qu'elle finisse de se préparer le plus rapidement possible. De toute façon, on sonne à la porte au même moment. C'est Carl, le meilleur ami de Félix. Il ne manquait que lui pour partir.

— Maman, Carl est arrivé. Dépêchez-vous en haut. On va vous attendre dehors.

Assis sur la banquette arrière de la fourgonnette en compagnie de Carl, Félix rêvasse encore. Il visualise sa journée, imagine de nouveaux scénarios ou améliore ceux qu'il a inventés. Il a déjà entendu l'entraîneur Guy Boucher dire que l'imagination est la chose la plus importante pour un athlète. Tu visualises une situation, tu la désires et tu fais tout ce qu'il faut pour qu'elle se réalise comme tu l'as inventée dans ton esprit. Selon lui, toute forme de succès ou de réussite partirait de l'imagination ; alors si un des meilleurs coachs de la Ligue nationale de hockey l'a dit, c'est que c'est vrai.

Sa mère et sa sœur discutent ensemble à l'avant. L'écho de leurs voix aiguës se mélange à la musique de David Guetta qui jaillit bruyamment de la radio et à la voix de Carl qui fredonne le refrain entraînant en faussant, sans aucune pudeur. Cette cacophonie sympathique ne pénètre pas le cerveau de Félix qui est déjà à l'aréna de Drummondville depuis plusieurs kilomètres.

C'est à cet endroit que le repêchage de la Ligue de hockey junior majeur du Québec va s'amorcer dans un peu plus d'une heure. Meilleur compteur de son équipe, les Estacades de la Mauricie, qui évolue au sein de la Ligue de développement midget AAA, Félix sera repêché d'ici le milieu de l'après-midi. Il vient de connaître une saison du tonnerre, ce qui lui a valu de rencontrer les dépisteurs de quinze des dix-huit formations de la LHJMQ. En trente-six parties, le petit joueur de centre aux cheveux bouclés a amassé neuf buts et quarante passes. Jamais auparavant un joueur de quinze ans n'avait obtenu autant de mentions d'aide avec les Estacades. En théorie, de telles statistiques devraient lui permettre d'être sélectionné dès la première ronde, sauf que sa petite taille effraie bien des équipes.

Félix ne se berce pas d'illusions. Il sait pertinemment qu'à cinq pieds, sept pouces et cent quarante-sept livres, son gabarit inquiète tous les dépisteurs. La plupart de ceux qu'il a rencontrés le lui ont d'ailleurs clairement signifié. Dans presque chacune de ces rencontres, les hommes qui l'interrogeaient avaient employé l'expression « prendre une chance » quand ils avaient parlé de la possibilité de le sélectionner.

Chaque fois, Félix avait répliqué la même chose:

— Moi, je dirais plutôt que vous allez prendre un risque si vous me choisissez pas.

Ça avait semblé plaire à ses interlocuteurs.

Selon ce qui se dit en coulisse, le petit Riopel devrait être réclamé avant la fin de la troisième ronde, ce qui signifie que beaucoup de joueurs moins talentueux seront choisis avant lui. C'est l'implacable loi du sport et c'est ce qui a empêché Félix de dormir toute la nuit. Des gars de six pieds qui ont de la difficulté à effectuer correctement une passe seront appelés avant lui. Des coéquipiers qui manquent de sérieux, qui fument des joints et boivent les week-ends seront repêchés avant lui. Comment des adultes qui travaillent dans le monde du hockey depuis des années peuvent-ils ne pas se rendre compte qu'une injustice se trame en ce moment même? Comment expliquer que ces hommes avec qui il a jasé ont été unanimes pour vanter son talent, mais que seulement trois ont osé se mouiller?

Le recruteur des Voltigeurs de Drummondville lui a promis de le prendre s'il est encore disponible en troisième ronde. «Mais ça me surprendrait pas mal que tu sois encore là, mon chum, car selon ce que j'ai su, Halifax veut te repêcher en deuxième ronde. Si jamais ils te laissent passer, c'est clair que tu t'en viens avec nous à Drummond!» Cette entrevue, qui s'était déroulée dans une chambre d'hôtel de Longueuil, avait été la première à l'agenda de Félix. Lors d'un entretien téléphonique, le dépisteur des Remparts de Québec avait aussi promis de le réclamer en troisième ronde et un membre de l'organisation des Saguenéens de Chicoutimi avait approché sa mère pour lui signifier qu'il avait l'intention de mettre la main sur son fils en troisième ronde également. Dans le milieu, tous savent qu'André Riopel est décédé tragiquement d'un accident de motoneige et que la ravissante Line Bournival n'a pas refait sa vie depuis ce drame épouvantable, survenu il y a déjà quatre ans. Alors, quand un coach ou quelqu'un d'autre approche sa mère pour lui parler hockey, Félix se demande toujours s'il ne s'agit pas d'un prétexte pour amorcer une conversation et la courtiser.

— Hey ! Rippy ! T'es dans la lune, mon chum ! À quoi tu penses ? Laisse-moi deviner. À ta blonde ?

— Ben non, Carl ! Maudit que t'es cave. Je pense à ce qui s'en vient tantôt et plus j'y pense, plus je me dis que c'est certain que je vais sortir en première ronde. J'ai quand même fini au sixième rang des marqueurs de la ligue et y avait juste un gars de quinze ans en avant de moi : Alex Antonacci des Lions du Lac Saint-Louis.

— Mais avoue que tu penses aussi à Emma et que ça te rend triste qu'elle soit pas là. C'est pas de mes affaires, mais dans ce dossier-là, ta blonde agit en égoïste. Elle a beau avoir peur que tu te fasses repêcher par un club des Maritimes, si elle t'aime autant qu'elle dit, elle devrait être là aujourd'hui pour t'encourager.

— Ça, c'est ton opinion, Carl. D'ailleurs, je pense que c'est la troisième fois que tu me le dis ! Je pense que ça te fâche plus que moi. Arrête de me taper sur les nerfs avec ça, s'il te plaît.

— En tout cas, compte pas sur moi pour lui téléphoner et lui annoncer la bonne nouvelle.

— Laisse faire, Carl, je vais lui téléphoner, moi, pour lui dire si mon frère se fait repêcher, l'interrompt Véronique de la banquette avant.

— Ah ! Mêle-toi de tes affaires, Véronique. Je t'interdis de téléphoner à qui que ce soit, d'ailleurs. C'est pas toi qui vas commencer à annoncer la nouvelle à tout le monde. C'est mon repêchage, c'est ma journée, et si c'était juste de moi, tu serais même pas venue avec nous.

— Félix, je t'en prie, cesse de dire des choses que tu ne penses pas, intervient Line tout en conduisant. Ta sœur voulait seulement être gentille. Je vais te dire la vérité, mon fils, tu es tendu et à fleur de peau. J'espère que tu ne seras pas comme ça toute la journée. Ce n'est agréable pour personne. Je veux bien croire que c'est une journée stressante pour toi, mais arrête de te comporter comme si toute la planète tournait autour de toi. Arrête d'être nerveux inutilement. Peu importe que tu sois repêché en première ou en cinquième ronde, l'important, c'est qu'un club te fasse confiance et ensuite ça va se jouer au camp d'entraînement.

Félix pense que sa mère, sa sœur et son meilleur ami ne comprennent absolument rien. N'importe quel abruti sait très bien qu'un choix de première ronde aura droit à toutes les chances au monde. Et en plus, ça donnerait quoi d'avoir été si bon et d'avoir établi un record d'équipe si c'était pour se faire choisir en quatrième ou en cinquième ronde! Félix se convainc qu'il va partir tôt. Si ce n'est pas en première ronde, ce sera certainement en deuxième ou en troisième, dans le pire des scénarios.

— Merci, Véro. T'inquiète pas, de toute façon, t'auras pas à aviser Emma ni personne d'autre quand je vais me faire repêcher, renchérit Félix en montrant son téléphone à Carl. Ce matin, pendant que tu te maquillais dans la salle de bain, j'ai préparé la liste des gens que je veux avertir et j'ai déjà écrit: «Je viens d'être repêché en première ronde par...» Il reste qu'à mettre le nom du club, le rang de sélection et ensuite à appuyer sur «Send».

Félix n'a oublié personne. Une trentaine de noms sont déjà enregistrés dans son portable et il sera prêt à dégainer dès qu'il entendra son nom prononcé au micro. Il sait que sa cousine Daphnée et une demi-douzaine d'autres personnes vont tout de suite relayer l'information sur leur compte Facebook et qu'en moins de quinze minutes, des milliers de gens vont savoir ce qui lui est arrivé.

Félix Riopel, le petit maigrichon de Louiseville que tous considéraient comme trop frêle pour s'en tirer dans les rangs bantams, sera très bientôt repêché dans la LHJMQ.

Déjà très confiant et même plutôt arrogant, le petit joueur de centre aux mains de chirurgien se sent rempli de fierté en réfléchissant à ce qui s'en vient. En même temps, il ne peut s'empêcher de penser à son père. C'est lui qui l'a initié au hockey, il lui a tout enseigné et tout transmis, autant la technique que la passion, autant l'engagement que la détermination. André Riopel serait certainement plus fier que Félix lui-même aujourd'hui, et si c'est vrai que le ciel existe, il est sans doute quelque part sur un nuage, affairé à tirer des ficelles pour s'assurer que son fils soit sélectionné dès la première ronde.

Fier comme un paon, le torse bombé et le complet bien attaché, Félix ouvre la marche alors que le petit groupe se cherche un endroit stratégique pour s'asseoir. Bien entendu, Line, Carl et Véronique se contentent de le suivre sans dire un mot. Le choix de l'emplacement est primordial et, en arrivant relativement tôt, Félix et ses trois partisans se sont assurés de pouvoir s'installer à peu près là où ils le désirent dans le Centre Marcel-Dionne.

Idéalement, Félix aimerait dénicher des places pas trop loin de l'entrée qui donne accès au parterre, mais pas trop près non plus, pour démontrer qu'il conserve une certaine désinvolture quant à cette journée.

Maintenant qu'il a choisi les sièges, Félix a passablement perdu de son assurance. Disons qu'il a été déstabilisé par une dame qui ne connaît rien au hockey et qui essayait seulement de faire son travail. Après avoir croisé des dépisteurs qui l'ont à peine salué dans le stationnement, le jeune homme a déchanté quand cette bénévole lui a demandé son nom à l'arrivée.

— Riopel… Félix Riopel. OK, oui, voilà ton nom ! Tu joues avec les Estacades de la Mauricie. Alors, tu peux aller t'asseoir où tu veux, mon grand. Il n'y a aucune place retenue spécifiquement pour toi. Seuls les trente premiers espoirs vont s'installer sur le parquet avec leur famille, les autres peuvent aller où bon leur semble. Bonne chance, mon grand, et je te souhaite de te faire repêcher aujourd'hui.

Heureusement, la famille Riopel est arrivée tôt et personne n'a été témoin de cette insultante conversation.

— L'as-tu entendue, mom, la bonne femme à l'entrée ? « Mon grand » par-ci, « mon grand » par-là… Je vais t'en faire, un « mon grand », moi. Franchement, elle me parlait comme si j'étais un bébé. En plus, elle nous dit qu'on est pas sur le parterre, mais elle a même pas vérifié une deuxième fois quand je lui ai demandé… et elle me souhaite de me faire repêcher ! J'aurais dû lui dire : « Merci, madame, et moi je vous souhaite de trouver un autre coiffeur, car vos cheveux sont vraiment affreux ! »

— Félix Riopel… là, ça va faire. La dame fait son travail du mieux qu'elle peut et c'est une gentille bénévole, rétorque Line en haussant la voix, sur un ton qui ne laisse place à aucune réplique. Là, prends une grande inspiration, va prendre une belle petite marche s'il le faut, mais calme-toi. Si tu as un complexe d'infériorité parce que tous les autres mesurent six pieds, ce n'est pas une raison pour être impoli avec cette femme-là. La petite attitude de monsieur Riopel, ça commence à faire.

— OK, mom. Fâche-toi pas. J'ai pas été impoli avec la dame et j'ai pas de complexe envers qui que ce soit. C'est quoi, cette histoire-là ? Tu as raison. C'est vrai qu'elle se forçait pour être gentille. Mais est-ce que tu comprends qu'on devrait être en bas, sur le plancher, et pas assis ici, dans les estrades, avec un paquet de pas de talent ?

— Rippy, on le sait tous que t'es fort. Toi aussi, tu le sais, alors arrête de t'en faire autant, intervient Carl en chuchotant. Ta mère et ta sœur sont encore plus nerveuses que toi, alors essaie de donner l'exemple, gros cave. Ta mère te l'a dit dans la fourgonnette : l'important, c'est que tu te fasses repêcher. Si jamais c'est en troisième ou en quatrième ronde, le gars qui va te choisir va passer pour un génie et toi tu vas facilement dépasser les attentes que le club aura envers toi. Tout le monde va être content.

— Je le sais, y a quinze équipes sur dix-huit qui m'ont parlé, alors c'est certain que je sortirai pas en troisième ou en quatrième ronde, comme tu dis. T'as quand même raison, je vais essayer de me calmer un peu. Tu sais que tu m'énerves, Carl ?

— Ah oui ? Et pourquoi je t'énerve ? Parce que j'ai encore raison ?

— En plein ça !

Il y a aussi une autre chose qui contrarie beaucoup Félix. La plupart des autres gars sont représentés par des agents, mais pas lui. Il y a un peu moins d'un an, alors qu'elle participait à un colloque de l'Ordre des infirmières à Québec, sa mère avait rencontré une femme de Sherbrooke dont le mari avait déjà été dépisteur dans la LNH, avec les Flames de Calgary. Quand l'homme était venu chercher son épouse à la fin de la journée, la femme lui avait présenté Line, qui l'avait bombardé de questions. Il lui avait expliqué que si son fils avait besoin d'un agent pour se faire repêcher chez les juniors, ça voulait dire qu'il n'était pas si bon après tout.

C'est pourquoi Félix Riopel, le meilleur marqueur des Estacades de la Mauricie, n'est représenté par aucun agent. Dans son esprit, c'est une aberration, mais quand Line Bournival a quelque chose dans la tête, il est impossible de la faire changer d'idée.

Et, rien pour aider à le tranquilliser, voilà que Cédrick Loiselle passe tout près et qu'il lui fait un signe de la main… suivi d'un petit clin d'œil en bonus pour le narguer. Même s'il fait six pieds, trois pouces et qu'il pèse presque deux cent vingt livres, Félix lui aurait assurément sauté dessus dans d'autres circonstances. C'est un secret de polichinelle: Loiselle est clairement la personne qu'il déteste le plus au monde, et ce, même s'ils jouaient ensemble cette année. Très prétentieux, ce gros défenseur au style robuste recherche toujours la mise en échec percutante, le coup qui fait mal et qui intimide l'adversaire. Incapable de faire quoi que ce soit avec la rondelle, il n'a pas marqué un seul but de la saison et il n'a obtenu que quelques mentions d'aide. Malgré cela, tout le monde est «en amour» avec lui en Mauricie et on dit qu'il est le meilleur espoir de la région depuis plusieurs années. Certains hommes de hockey le comparent à Mike Komisarek et vont même jusqu'à dire que s'il jette les gants, il va finir par jouer dans la LNH.

— Tiens, voilà le meilleur espoir de la région! lance Félix sans pouvoir se retenir après le passage de son coéquipier.

— Est-ce que tu parles du gars qui était sur la glace lors des quatre buts des Lions quand vous avez perdu quatre à trois dans le cinquième et dernier match en première ronde des séries ?

— Exactement, petite sœur ! Finalement, tu connais ça, le hockey !

— Pas besoin de connaître le hockey pour savoir que c'est un gros nul qui se la joue. Loiselle a même *cruisé* Pénélope Archambault la semaine passée en lui disant qu'il lui ferait faire des balades dans le Hummer de son père.

— Ouais, pis ?

— Ben, sais-tu c'est qui, Pénélope Archambault ?

— Aucune idée !

— C'est ce que je pensais. C'est une fille de ma classe. Elle a des seins gros comme des melons d'eau, mais elle a quand même mon âge, pis Loiselle la harcèle sans relâche pour coucher avec elle. Il lui envoie genre trente textos par jour. Franchement… en plus y a l'air d'un gros mongol avec ses petits sbires qui le suivent partout comme des arriérés.

— Oh que c'est bon à savoir, ça…

— Ben là, Félix, j'espère que c'est pas un scoop que ta sœur vient de te donner, ajoute Carl. On sait tous que tout ce qui compte dans la vie de Loiselle, c'est les partys et les filles. C'est un gros tata, ce gars-là, je comprends pas que tu sois toujours en rivalité avec lui. En plus, tu sors avec la plus belle fille de l'école, alors que lui, il passe son temps à flirter avec des petites jeunes parce que les filles de notre âge savent que c'est un taré. C'est pas parce que son père est plein de cash que ça fait de lui un gars plus intelligent ou un meilleur joueur de hockey.

— Non… mais as-tu vu son petit clin d'œil de fendant quand il est passé devant nous avant de descendre plus bas pour s'asseoir sur le parterre ? Ça voulait dire : « Salut mon *loser*, reste ici avec ta gang, les *hots*, on va se prendre une chaise en bas. »

— Coudonc, tu comprends rien ou quoi ? C'est ce que je viens à peine de te dire, ce gars-là est un bouffon. Et toi, tu perds ton temps à te chicaner avec lui chaque fois que tu peux. Il voit que tu réagis et il continue… finalement, c'est toi, le niaiseux, Félix !

2

Une attente interminable

Trente minutes plus tard, sur le coup de dix heures, le repêchage de la Ligue de hockey junior majeur du Québec se met en branle. Le Centre Marcel-Dionne est presque plein. Toute la nuit, Félix a anticipé cette journée. Pourtant, il ne s'attendait pas à ce qu'autant d'amateurs se déplacent pour assister à l'événement. Il est plus nerveux qu'il ne l'avait prévu et il n'est pas le seul. Environ cinq cents jeunes joueurs prometteurs, âgés de quinze à dix-sept ans, vivent à peu de choses près les mêmes émotions. Ce sont les plus beaux espoirs du Québec et des Maritimes. Ils sont tous tirés à quatre épingles, ils ont chaud, ils sont anxieux, ils manquent de sommeil, ils se comparent et ils n'en peuvent plus d'attendre.

Félix n'est pas trop nerveux au début du repêchage. Bien honnêtement, il a exprimé le désir de voir son nom appelé dès le premier tour, mais dans son for intérieur, il sait très bien que les chances que cela se produise sont assez minces. Il n'a certes jamais cessé d'en parler, mais c'était surtout pour entretenir le mythe auprès de sa famille, de ses amis et de ses coéquipiers. Dans le fond, tout ça, c'est un peu de la frime. Il mériterait d'être parmi les premiers élus, mais il comprend également les jeux de coulisses. Si un club le sélectionne en deuxième ronde, la logique sera respectée. Il doit quand même jouer le rôle du gars qui est persuadé d'être un choix de première ronde. Ça fait partie du personnage qu'il s'est forgé depuis le début de sa puberté, quand il a constaté qu'il ne grandissait pas aussi rapidement que les autres. Puisqu'il n'est pas très costaud, il affiche depuis des années un air confiant et presque désabusé, comme si tout ce qui se disait à son sujet n'avait aucune importance à ses yeux. N'importe quel étudiant en psychologie diagnostiquerait rapidement un syndrome de Napoléon chez lui, et il ne risquerait pas de faire fausse route… surtout qu'à cinq pieds, sept pouces et cent quarante-sept livres, il est assurément l'un des joueurs les plus chétifs dans l'amphithéâtre.

Toutefois, Félix n'est pas complètement malhonnête, car dans son esprit, il est réellement convaincu d'être bien supérieur à la plupart des joueurs dont les noms résonnent déjà dans les haut-parleurs. Au seizième choix, son cœur cesse de battre quelques secondes. De sa main droite, il serre le bras de sa mère si fort qu'elle échappe presque un cri de douleur quand on entend soudainement au micro :

— Les Huskies de Rouyn-Noranda sont fiers de sélectionner, des Estacades de la Mauricie… Cédrick Loiselle.

— Pardon ? s'écrie Félix sans retenue en lâchant le bras de Line. Les Huskies choisissent le gros colon à Loiselle ? Non, mais c'est une méchante blague, ça ! C'est quoi, le problème, leurs dépisteurs sortent de l'institut psychiatrique ou quoi ? Cédrik Loiselle, ça va être le plus gros flop de l'histoire du hockey junior. Je peux pas croire qu'un club de la LHJMQ prend un raisin comme lui avant moi. Ce gars-là n'a aucun talent et il a une pinotte dans la tête à la place du cerveau. Loiselle a seulement deux qualités dans la vie : être costaud et être riche, pis ces deux affaires-là, il les tient de son père. On s'entend que ce choix-là n'a aucun sens ? J'étais certain qu'ils allaient annoncer mon nom quand j'ai entendu le gars dire « des Estacades de la Mauricie ».

— Relaxe-toi, Félix ! Loiselle s'en va à Rouyn… *So what?* Ça fait dix ans que cette équipe-là est en reconstruction. Qu'est-ce que ça change à ta vie ? *Anyway*, tu m'as dit que tu t'en allais à Québec, Drummond ou Chicoutimi, alors Loiselle à Rouyn, qu'est-ce que ça fait dans l'équation ?

— Vraiment, Carl, tu comprends rien aujourd'hui. C'est une question de principe. C'est pas logique que cette espèce de pas bon passe avant moi juste à cause de son physique. Ça confirme que les dépisteurs connaissent vraiment rien au hockey. Sérieux, Loiselle, c'est une *joke* sur patins.

— Mais une *joke* de deux cent vingt livres.

— Ah! Laisse donc faire. Sais-tu quoi? Tu ferais un maudit bon dépisteur, Carl… penses-y. Moi, je vais marcher parce que là, je vais virer fou à entendre les noms des bouffons qui se font repêcher avant moi.

— C'est une bonne idée, ça, Félix! Pis si jamais y a un de ces colons qui te nomme, je vais te texter. Je niaise… Attends-moi, Félix, je viens avec toi!

Carl a beau essayer de détendre l'atmosphère, Félix bout intérieurement. Les joueurs qui défilent sur le podium lui semblent tous réellement moins bons que lui et il y a un dénominateur commun qui revient à chaque sélection: ils sont tous plus costauds. Il savait pourtant que son petit gabarit le recalerait un peu, mais il ne se doutait pas que ce serait aussi flagrant. La deuxième ronde est maintenant terminée et son nom n'a toujours pas retenti dans l'amphithéâtre. Chaque fois qu'on interpelle un joueur dans les haut-parleurs, Félix ferme les yeux, serre les poings, puis peste en dénigrant allégrement la sélection tout juste annoncée.

— OK, mom… On rentre à la maison. On est rendu en troisième ronde, c'est une vraie *joke* ça ici. *Let's go*, on s'en va.

— Veux-tu te calmer un instant ? La plupart de tes coéquipiers sont encore assis à attendre, comme toi. Je te comprends vraiment d'être déçu, mais imagine si un club te choisit et qu'ils apprennent que tu as quitté la place en boudant… ça va bien paraître ! Relaxe-toi et encourage tes amis qui sont dans le même bateau que toi.

Line a à peine terminé sa phrase qu'elle entend le nom de son fils résonner dans le Centre Marcel-Dionne.

— Félix ! C'est toi ! Qui est-ce qui t'a choisi ? crie-t-elle, drôlement énervée.

— Halifax, mom ! Je m'en vais à Halifax avec les Mooseheads ! s'exclame Félix en se levant d'un trait pour sauter dans les bras de sa mère qui l'étreint de toutes ses forces.

— Ben non, lancent en chœur Carl et Véronique. C'est pas Halifax, c'est Rouyn ! Coudonc, vous écoutiez pas !

— Ah ! Ce n'est pas grave. Ce n'est pas important, le club, dans le fond ! C'est fantastique, mon cœur ! enchaîne Line qui pleure de joie sans la moindre retenue. Troisième ronde… c'est quand même tout un exploit, ça ! Tu vas pouvoir t'en vanter toute ta vie, mon fils. Et Rouyn, c'est cool! C'est pas mal moins loin de la maison qu'Halifax! Je suis tellement fière de toi, Félix! Allez, va sur le parterre et viens nous chercher ensuite parce que je n'ai aucune idée de ce qu'il faut faire. On reste ici et on t'attend.

— Bravo, l'gros! Maudit que je suis fier d'être ton chum, ajoute Carl en donnant l'accolade à son meilleur ami. Oublie pas d'envoyer les textos que t'as préparés ce matin!

— Merci, ma belle Véro, d'être venue avec moi pour m'encourager. Je t'aime, ma petite sœur d'amour, conclut Félix.

Il embrasse Véronique et la serre dans ses bras.

— De rien, mon frère! Et rendu en bas à la table des Huskies, demande à prendre une photo avec Loiselle! Deux gars de la Mauricie dans le même club, c'est super *hot*!

Cédrick Loiselle. Félix l'avait complètement oublié, celui-là. Une chance sur dix-huit de se retrouver dans la même organisation que lui et voilà que ça vient de se produire… Quelle tragédie! Évidemment, Véronique n'a pas perdu une seconde pour lui rafraîchir la mémoire. Il n'y a qu'elle pour penser à ça aussi rapidement et le lui mettre en plein visage au moment même où le représentant des Huskies arrive à leur hauteur. Félix ne peut même pas répliquer. Bon joueur, le nouveau porte-couleurs de Rouyn quitte le groupe en hochant la tête et en riant de bon cœur à la remarque de sa sœur qui le regarde s'éloigner en lui montrant son téléphone pour qu'il n'oublie pas d'annoncer la grande nouvelle à Emma et à ses autres contacts.

Après l'avoir félicité à son tour, le membre de l'organisation des Huskies l'escorte en lui énumérant les noms et les fonctions des gens qu'il s'apprête à rencontrer ainsi que le scénario qui l'attend par la suite. L'homme âgé dans la soixantaine n'en est pas à sa première séance de repêchage et il est bien conscient du fait que ses explications ne se rendent sûrement pas jusqu'au cerveau de Félix. Tout de même, par acquit de conscience, il prend la peine de lui communiquer toutes les informations qui risquent de l'intéresser, en sachant qu'il devra tout lui répéter dans peu de temps. En marchant, ou plutôt en flottant vers le parterre, Félix s'applique à compléter son texto – avec quelques corrections – avant d'arriver à la table de Rouyn, car il sait très bien qu'il sera alors pris dans un tourbillon enivrant.

À peine a-t-il le temps d'acheminer son message texte qu'il arrive à la table des Huskies et, lorsqu'il redresse la tête, il aperçoit tout l'état-major de Rouyn-Noranda se lever à l'unisson pour l'accueillir et le féliciter. Ça ne lui laisse que quelques secondes pour retrouver son sang-froid. Félix a imaginé ce moment toute la nuit et ses répliques sont prêtes pour tous les genres de commentaires possibles et imaginables. On ne fait qu'une seule première impression et il n'est pas question qu'il rate ce premier contact avec la direction de l'équipe.

Dany Lafrenière, le directeur général des Huskies, est le premier à l'accoster. Sa poignée de main est franche, solide, et son regard perçant ne dévie pas des yeux de son nouveau protégé.

— Félicitations, Félix. Nous t'avons suivi toute l'année et nous sommes vraiment très fiers d'avoir pu te sélectionner. Je te dirais même qu'on se compte chanceux de pouvoir te prendre en troisième ronde. Honnêtement, on avait peur que tu ne sois plus disponible, rendu à notre tour.

— Merci beaucoup, monsieur. Je vous jure que vous ne serez pas déçu de m'avoir choisi. En plus, je suis vraiment content d'aller à Rouyn. C'est une bonne organisation qui a développé plusieurs joueurs de renom dont Mike Ribeiro, un gars avec un style semblable au mien.

— Si tu deviens aussi bon que lui, on n'a pas fini de se péter les bretelles ! Allez, enfile ton chandail et fais un beau sourire à Raymond, notre photographe officiel. Y a aussi trois ou quatre journalistes de l'Abitibi qui vont vouloir te prendre en photo et te parler après ça.

Félix a réussi à mentionner le nom de Mike Ribeiro comme il souhaitait le faire. Il avait trouvé au moins un nom de joueur par équipe qu'il espérait insérer dans la conversation pour démontrer qu'il connaissait bien la formation et qu'il avait de l'intérêt à se retrouver avec elle. En plus, Mike Ribeiro et David Perron sont ses deux idoles. Il n'a donc pas eu à chercher bien loin dans sa mémoire. Franchement, tout baigne dans l'huile et les dirigeants des Huskies semblent réellement très heureux de l'accueillir.

— T'as fière allure, Félix, avec le chandail des Huskies ! Jean-Guy, le monsieur qui t'a amené ici, va maintenant te présenter au reste de la gang et ensuite il va te conduire dans la grande salle, en arrière, pour que tu rencontres notre conseiller pédagogique et pour que tu essaies de l'équipement afin qu'on ait tes mesures exactes au camp d'entraînement.

— Merci, monsieur Lafrenière ! Vraiment, je vous jure que je vais faire honneur à votre club… dès cette année en plus, car j'ai pas l'intention de retourner jouer midget AAA, ajoute-t-il du bout des lèvres, avec beaucoup moins de conviction à présent.

— Salut, Félix ! Denis Gariépy, dépisteur-chef. Je suppose que tu te souviens de moi, on s'est parlé deux ou trois fois déjà. Au-delà de ton talent, j'ai vraiment adoré ton entrevue quand on t'a rencontré officiellement à Longueuil. Et c'est vrai, ce que Dany vient de dire. On a pensé à te sélectionner dès le deuxième tour. Bienvenue chez nous, mon chum !

— Merci, monsieur Gariépy. Vous allez voir, je ne vous ferai pas regretter d'avoir pris Félix Riopel !

— Enchanté, le *kid* ! Richard Caisse, entraîneur-chef des Huskies. Je t'ai jamais vu jouer et je pense pas que tu vas faire mon club cette année, mais en tout cas, c'est bon d'avoir de la relève pour l'avenir.

— Attendez, monsieur Caisse ! Vous allez voir que je vais tout donner pour vous faire changer d'idée et jouer pour vous au mois d'août.

— Je veux pas casser le party, mais ça me surprendrait, le *kid*, parce qu'on a un club pour aller à la Coupe Memorial avec beaucoup de vétérans. T'es encore pas mal jeune et en plus, t'es bâti comme un poète, réplique sèchement le coach alors que tout le monde se tait à la table pour l'écouter, un peu stupéfait de le voir apostropher le jeune avec de tels propos.

— Vous avez le droit à votre opinion, monsieur Caisse, réplique Félix en soutenant son regard provocant. Mais y a que deux options : soit vos dépisteurs sont franchement mauvais et ils viennent de gaspiller un beau choix de troisième ronde en me prenant, soit je suis vraiment meilleur que tous les autres joueurs qui sont plus gros que moi. Mais ça, vous le saurez juste au mois d'août.

— Suis-moi, le jeune, se dépêche de lancer Jean-Guy. On n'a pas le temps de s'éterniser ici. Ils ont d'autres choix à faire et toi, tu dois aller chercher tes parents pour qu'ils viennent avec nous en arrière.

— Est-ce que je garde le chandail et la casquette ou c'était seulement pour la photo ?

— Tout ça t'appartient et on a d'autres cadeaux encore. Allez, viens avec moi.

Félix tourne les talons en saluant le groupe et en se demandant intérieurement comment il a pu sortir promptement cette répartie si tranchante à Richard Caisse. Ce coach est l'un des plus intimidants entraîneurs du hockey junior canadien. Il avait préparé sa réplique et il l'avait répétée plusieurs fois dans sa tête, mais il ne pensait jamais que quelqu'un serait assez effronté pour le narguer à propos de sa taille la journée même du repêchage. Le nouvel espoir des Huskies est content de s'être bien préparé à toutes les éventualités, mais en même temps, il se questionne sur sa stratégie. Devant la possibilité d'un scénario semblable, la réponse à fournir était déjà déterminée, mais lors des répétitions de la dernière nuit, Richard Caisse ne faisait pas partie de l'histoire. S'il n'a pas apprécié, il est clair que Félix ne jouera pas un seul match pour Rouyn, et ce, pas seulement l'an prochain.

À la table des Huskies, Denis Gariépy s'en prend à l'entraîneur.

— Franchement, Rick, t'es ben cabochon ! C'est quoi, ce commentaire-là ? C'est supposé être la journée la plus importante de sa vie, au jeune, pis toi, tu le rabaisses dès que tu peux. Tu l'as même pas vu jouer une seule maudite partie... Des fois, tu me fais vraiment fâcher, l'invective le dépisteur-chef. Sérieux, t'as beau avoir cinquante-six ans, tu devrais suivre des cours de psychologie. Ah pis, je vais fermer ma gueule parce que là, je dirais des choses que je pourrais regretter et en plus, faut que je me prépare parce qu'on sélectionne encore dans pas longtemps... Maudit que tu m'énerves quand tu veux. Batinse... « Bâti comme un poète », c'est loin d'être ta meilleure, celle-là.

— *Cool down*, Denis. Je voulais juste voir ce que le *kid* avait dans le ventre. Tu m'as dit que malgré son petit gabarit, dans le feu de l'action, Riopel ne reculerait jamais même devant les plus gros joueurs de la ligue. Je l'ai juste *challengé* un peu... y a rien là. En fait, je suis étonné et très content de sa réaction. Ce *kid*-là a du chien et tu sais que je les aime comme ça! Sacrement, il m'a quasiment envoyé paître... Même si j'ai couru après, c'est le premier jeune de seize ans à me répondre de cette façon en vingt-cinq ans de coaching. Je l'aime déjà, lui!

— Excuse-moi, Rick, mais Riopel ne t'a pas « quasiment envoyé paître », comme tu dis. Il t'a carrément envoyé promener. Il t'a poliment cloué le bec et juste pour ça, ça valait la peine de le repêcher. Avoir su, on l'aurait sélectionné en première ronde, comme ça on ne t'aurait pas entendu du reste de la journée, tranche Lafrenière, le directeur général, dans un éclat de rire qui retentit à travers presque tout l'amphithéâtre.

3
Le début d'une nouvelle vie

Entrevues, photos, signatures de documents, essais d'équipement et poignées de main se succèdent pour Félix, qui est rejoint à l'arrière-scène par Line, Véronique et Carl. On a rarement vu autant d'adolescents aussi souriants dans une même pièce. Peu importe ce que le destin leur réserve, aujourd'hui c'est la consécration, et la plupart d'entre eux se rappelleront les moindres détails de cette journée pour le reste de leur vie. Le bonheur est aisément palpable.

Le contraste avec l'ambiance qui règne à l'intérieur de l'amphithéâtre est frappant. Il est maintenant passé treize heures, la chaleur est accablante, mais ce n'est rien en comparaison de l'angoisse qui étouffe les jeunes hockeyeurs toujours ignorés. Les badauds ont quitté l'aréna et les jeunes dont les noms n'ont toujours pas été appelés vivent les minutes les plus angoissantes de leur vie. La séance de repêchage tire à sa fin et beaucoup de rêves aussi.

La nouvelle de la sélection de Félix par les Huskies s'est répandue comme une traînée de poudre dans la petite ville de Louiseville. Même s'il n'a pas été réclamé aussi tôt qu'il le souhaitait, un immense sentiment de fierté habite Félix et les nombreux messages qui entrent à répétition sur son portable n'aident en rien à le ramener sur terre. Son cellulaire n'aurait pas vibré plus que ça même s'il avait été le tout premier joueur sélectionné ce matin.

— Mom, c'est incroyable! La pile de mon téléphone est presque morte. Tout le monde me texte. Tout le monde capote!

— C'est normal, fiston, rétorque Line tout en conduisant. Moi aussi, je capote! Je suis tellement heureuse et les gens des Huskies ont tous l'air très gentils. Dire que tu voulais partir de l'aréna… une chance que je ne t'ai pas écouté!

— Ouais, c'est vrai que ça aurait pas été très intelligent! Mais je n'avais jamais été aussi frustré de toute ma vie. Sérieusement, monsieur Gariépy, le dépisteur-chef des Huskies, va dorénavant passer pour un vrai génie du hockey.

— J'comprends pas…

— T'es ben niaiseuse, Véronique. Tu comprends pas quoi au juste? Il va passer pour un génie parce que je serai le vol du repêchage.

— Ça marche pas, ton affaire. T'as passé une heure à dire que ça prenait des abrutis de première classe pour choisir Loiselle en première ronde, pis là tu dis que le même gars est finalement un génie du hockey. T'es pas trop conséquent, je trouve, réplique Véronique en dévisageant son frère avec un petit sourire narquois.

— Ben oui ! C'est ça, t'as ben raison. J'ai changé d'idée… c'est tout. Et de toute façon, depuis quand est-ce que je suis censé être un gars conséquent ? Est-ce que je me suis déjà vanté de l'être ? Non. Alors, tu parles encore pour rien dire. Mais félicitations quand même, car t'as sorti un nouveau mot aujourd'hui. Le mot « conséquent »… Bravo, Véronique !

— Sérieux, vous deux, ça n'a aucun sens, dit Carl qui ajoute son grain de sel à la conversation. Vous êtes vraiment bébés. Est-ce que ça vous arrive des fois de passer une journée complète sans vous chicaner ? Peu importe, ce serait peut-être le temps de faire la paix, car on arrive bientôt et mon père attend tout le monde à la maison pour fêter ça. Je le connais, il file tellement mal de pas avoir pu se libérer pour le repêchage qu'il a probablement préparé de la bouffe pour vingt personnes !

Carl a vu juste. En arrivant, Line et ses enfants réalisent que Paul Lapierre a invité beaucoup plus de gens que prévu. Il y a quelques voitures garées devant la maison et une bonne demi-douzaine de scooters encombrent l'entrée. Line a à peine le temps d'immobiliser la fourgonnette que tous les convives se précipitent vers les nouveaux arrivants.

La scène est un peu surréaliste. Maurice Thibodeau, le président de l'association du hockey mineur de Louiseville, court en poussant les copains de Carl et de Félix pour s'assurer d'être le premier à féliciter le héros du jour. Fatigué par cet effort physique inhabituel, le sympathique barbu au ventre proéminent doit prendre une pause pour retrouver son souffle et, du coup, tout le monde le devance. D'ordinaire à l'aise lorsqu'il devient le centre d'attraction, le nouvel espoir des Huskies se sent soudainement un peu intimidé par ce débordement d'attention. Pendant qu'il donne des accolades et serre les mains de ses amis, Félix aperçoit sa belle Emma en retrait, assise sur son scooter vert lime. Elle fixe son amoureux d'un regard contemplatif, rempli autant de fierté que d'admiration. Son sourire contagieux n'a jamais été aussi éblouissant qu'en ce chaud et humide samedi de juin. Félix comprend dans le regard de sa dulcinée qu'il peut prendre le temps de remercier tout le monde et qu'elle va attendre quelques minutes. De toute façon, il sera seul avec elle dans peu de temps.

Auparavant, il doit encore se débarrasser de monsieur Thibodeau qui ne cesse de le féliciter. Tout en sueur, serré dans son polo du hockey mineur, les larmes aux yeux, l'homme semble encore plus heureux que Félix lui-même. Impliqué dans la communauté depuis quatre décennies, il aime les jeunes sportifs des environs comme s'ils étaient tous ses propres enfants.

— Ça fait cinq ou six ans que je dis à tout le monde que t'es notre meilleur joueur depuis Denis Paul dans le milieu des années quatre-vingt. J'en ai vu en simonac, des joueurs de hockey, depuis quarante ans, mais jamais un seul avec des mains comme les tiennes. Ça, Félix, c'est juste la première étape, mon chum. Dans dix ans, tu vas amener la coupe Stanley parader à Louiseville… j'espère juste que je serai encore vivant pour voir ça. Maudit que j'aimerais ça prendre une bière et fêter ça avec ton père aujourd'hui!

Et voilà que monsieur Thibodeau éclate en sanglots. Accoté contre la fourgonnette, il n'essaie même pas de contenir ce trop-plein d'émotion. Félix ne sait pas trop comment réagir. En fait, que peut-on bien dire à un adulte dans de telles circonstances?

Pendant que les adolescents qui attendent encore dans le stationnement regardent le pauvre homme, un brin amusés, Line fait signe à son fils d'aller retrouver Emma pendant qu'elle se chargera de réconforter Maurice Thibodeau.

Cachés sous le pont de la 138 qui traverse la Grande rivière du Loup, Félix et Emma sont enfin seuls. C'est toujours à cet endroit qu'ils se retrouvent lorsqu'ils doivent se parler de choses importantes ou qu'ils veulent se voir sans que personne le sache. Ce refuge secret n'est pas très invitant. La rivière n'est pas limpide. Elle semble même malpropre. Il y a des mauvaises herbes à outrance et, avec une pente abrupte vers l'eau, il faut se montrer prudent en se faufilant sous le pont. Bref, c'est l'endroit rêvé pour ne pas se faire importuner.

L'été précédent, c'est là qu'ils s'étaient embrassés pour la toute première fois. Un soir, vers la fin de juillet, alors qu'ils marchaient ensemble après le souper, ils s'étaient réfugiés à cet endroit pour éviter d'être trempés par la pluie. C'est là aussi qu'ils s'étaient donné rendez-vous le mois suivant quand le père d'Emma ne voulait plus que sa fille fréquente Félix, à la suite d'une soirée trop arrosée au Festival de la galette lors d'un spectacle des Cowboys fringants. Ce soir-là, malgré les réprimandes de Félix, la jeune Colombienne avait fumé son premier joint et elle avait perdu la carte, avant même le premier coup de minuit. Voulant bien faire, son nouvel amoureux l'avait ramenée chez elle tant bien que mal. Évidemment, il avait été obligé de sonner à la porte et il avait réveillé toute la famille Cortez. Malgré un français hésitant et un accent difficile à comprendre, le père d'Emma n'avait pas eu besoin de répéter deux fois pour que Félix saisisse qu'il était mieux pour lui de décamper au plus vite. Heureusement, toute cette histoire est bien loin derrière eux maintenant, et monsieur Cortez adore désormais le jeune Riopel.

— J'ai trouvé ça vraiment difficile de pas pouvoir dire aux autres pourquoi t'es pas venue avec nous à Drummondville, avoue Félix du bout des lèvres après un long baiser. Tu sais que Carl et ma mère sont persuadés que c'est parce que tu avais peur que je sois repêché par un club des Maritimes ?

— Je m'en fous tellement, rétorque Emma. L'important, c'est que nous deux on sache ce qu'on ressent l'un pour l'autre. Je suis désolée de te placer dans cette position, mais c'est primordial que tu gardes le secret.

— Mais qu'est-ce que ça ferait si ton père savait que tu es allée à Montréal à la place pour auditionner avec un groupe dans un studio ?

— Je te l'ai dit au moins cent fois, murmure-t-elle gentiment. Ça ferait que je pourrais plus chanter dans aucun groupe. Elle est ben l'fun, la gang à Cloutier, mais ces gars-là feront jamais de shows ailleurs qu'ici, à La Brassette. Au mieux, ils chanteront peut-être un jour à Shawinigan ou à Trois-Rivières. Faut que je me trouve un groupe plus sérieux et aujourd'hui, c'était une bonne occasion pour moi d'aller mesurer mon talent avec des gens qui sont payés pour faire de la musique.

Maintenant, faut simplement que tu t'échappes pas si mon père te demande si j'ai pleuré quand tu as été repêché. Écoute, c'est un alibi parfait.

— Ben oui… un alibi parfait. Mais si ton père l'apprend, on pourra plus se voir, car c'est moi, l'alibi, et il sera aussi fâché contre l'alibi. Déjà que je commence à peine à être dans ses bonnes grâces. En plus, tu sais que j'étais pas du tout d'accord pour tu ailles toute seule en autobus à Montréal.

— Arrête de t'en faire, Félix. Arrête de parler aussi… Je pense que je t'ai pas encore vraiment récompensé pour ton repêchage, ajoute Emma en posant ses lèvres charnues contre celles de son amoureux. Je suis désolée de pas être allée avec toi à Drummondville, lui murmure-t-elle ensuite doucement à l'oreille tout en posant sa tête contre son épaule.

— C'est pas ça qui me fâche, Emma, et tu le sais bien, ma chérie. C'est qu'il faut toujours raconter des mensonges pour que tes histoires fonctionnent et que je commence à trouver ça difficile à gérer.

— Ben oui! Tu dis toujours ça, mais avoue, ça marche tout le temps! Allez, lève tes fesses, on s'en va chez toi avant que ta mère et ta sœur rappliquent.

Le lendemain matin, curieusement, tout est revenu à la normale. L'état d'euphorie de la veille s'est déjà dissipé dans l'entourage de Félix. À l'exception de quelques retardataires qui ne l'avaient pas félicité la journée même sur Facebook, on dirait que le repêchage est étrangement tombé dans l'oubli. Cette situation n'embête pas vraiment le principal intéressé. En fait, Félix lui-même essaie de faire abstraction de tout ce qui s'est passé la veille. La satisfaction, l'orgueil et l'exultation ont fait place à l'insécurité et à beaucoup de questionnements. Rouyn n'est certes pas aussi éloigné de Louiseville que Baie-Comeau ou encore les villes des Maritimes, mais il n'en demeure pas moins que c'est à plus de huit heures de route et à plus de sept cents kilomètres de distance, selon le site Internet Mapquest que Félix a consulté, encore endormi, en sortant de son lit.

Il est clair que, malgré son enthousiasme et son attachement pour son fils, Line Bournival ne visitera pas souvent l'Abitibi au cours de la prochaine saison. Surtout que la fourgonnette que son père a achetée deux ans avant de mourir commence à se faire drôlement vieille. Non pas qu'elle soit déjà bonne pour la ferraille, mais partir pour un week-end à Rouyn, surtout en plein hiver, représenterait un pari plutôt risqué. Et que dire d'Emma ? Il y a encore moins de chances qu'elle traverse seule le parc de La Vérendrye pour lui rendre visite.

Et Carl ? Il n'a même pas encore obtenu son permis de conduire et ce n'est pas demain qu'il sera autonome. Son père refuse catégoriquement de payer ses cours et lui n'a pas un seul petit sou en banque. Toutes ses économies passent dans la musique et les petites douceurs insignifiantes de la vie… du moins, insignifiantes aux yeux de Félix.

Finalement, l'équation est relativement simple. Il a beau essayer de chasser cette pensée de son esprit, il sera seul à l'autre bout du monde de la mi-août jusqu'à la fin des classes en juin. Si le compte est bon, ça fait bien dix mois et quelques semaines de solitude, ce qui, réflexion faite, pourrait s'avérer franchement intolérable. Il est tout de même assez étrange que cette cruelle réalité ne le frappe que ce matin. Voilà des mois qu'il songe à la LHJMQ et jamais la peur de l'éloignement ne lui a effleuré l'esprit auparavant. Pire, assis devant son ordinateur, toujours arrêté sur le site de Mapquest, Félix comprend que, depuis des années, seul l'orgueil a guidé son raisonnement. Si seulement son père était là, toutes ces questions ne feraient pas surface et, surtout, il ne serait pas en pleine introspection si tôt un dimanche matin. Si André Riopel était encore de ce monde, il irait souvent voir son fils et il emmènerait sa mère, sa sœur, Emma et Carl.

Si son père était là, la situation serait différente aujourd'hui.

Tandis que Félix pense de la sorte à son père, une nouvelle question jaillit de nulle part. C'est une autre chose à laquelle il ne s'est jamais arrêté auparavant et qui vient soudainement brouiller les cartes ce matin. Comment a-t-il pu omettre de réfléchir à un élément d'une importance aussi capitale ? S'il quitte la maison, qui va s'occuper de sa mère et de sa sœur ? Depuis plus de quatre ans, il est l'homme de la famille. Après le décès de son père, c'est à lui qu'a naturellement incombé la tâche de veiller sur les filles. Qui donc prendra soin d'elles s'il s'en va à Rouyn ?

Même si le pédopsychologue lui a expliqué une centaine de fois qu'il n'est coupable de rien, Félix sait pertinemment que c'est sa faute si son père n'est plus là aujourd'hui. Personne d'autre que lui n'est responsable de ce qui s'est produit sur le lac Archambault, ce doux dimanche de mars. À l'époque, il avait fini par faire croire au psychologue qu'il était d'accord avec lui, pour acheter la paix, mais jamais il n'avait cru les théories de cet adulte qu'il ne connaissait même pas et qu'il ne voulait pas connaître. Dans son for intérieur et malgré la fragilité de ses douze ans, il avait froidement conclu qu'il était le seul à blâmer pour ce qui s'était passé sur le lac Archambault, à Saint-Donat. Si André Riopel s'était noyé, c'était entièrement sa faute.

Sa mère et le damné psychologue avaient pourtant dépensé tellement d'énergie à lui expliquer qu'il n'était qu'un enfant et que son père n'avait pas été obligé de l'écouter quand il l'avait supplié d'aller à l'autre bout du lac, là où la pêche avait été presque miraculeuse quelques semaines plus tôt, au lendemain de Noël.

Cette journée-là, après avoir passé une nuit blanche à fêter en famille, père et fils s'étaient sauvés ensemble, au petit matin, alors que tout le monde était endormi dans le chalet, pour pêcher sur la glace. En moins d'une heure, ils avaient capturé une douzaine de truites mouchetées. Au réveil, ils avaient comblé toute la famille avec un festin de roi.

Si les truites étaient là en décembre, elles seraient encore là en mars.

Félix et son père n'avaient pas planifié d'aller pêcher cette journée-là. La veille, leur saison de hockey s'était terminée abruptement, en séries, à la suite d'une défaite crève-cœur. Un parcours beaucoup plus court que prévu. Qui plus est, André, qui agissait comme entraîneur-chef, avait laissé pourrir son fils sur le banc en troisième période, car il n'avait pas suivi ses directives au deuxième tiers. Les Estacades pee-wee AA de la Mauricie, qui avaient connu une saison de rêve, ne jouaient donc pas comme on aurait pu s'y attendre ce dimanche-là. Pour remonter le moral de son fils, André avait donc songé à une journée de pêche, leur sortie père-fils préférée. En fait, c'était surtout Line qui lui avait fortement suggéré de faire quelque chose pour se faire pardonner. Elle n'avait pas du tout aimé qu'il se serve de Félix pour faire passer son message dans la défaite. Et tant qu'à passer un rare dimanche de congé à se faire faire la morale à la maison, aussi bien partir avec la motoneige et les cannes à pêche, s'était dit André.

Habituellement, ils ne s'aventuraient jamais sur le lac à cette période de l'année, mais les dernières journées avaient été plutôt froides et la glace était encore très épaisse dans le Nord. D'ailleurs, à leur arrivée aux abords du lac Archambault, des motoneiges et des véhicules tout-terrains défilaient près des berges. Un pêcheur s'était même risqué à avancer son petit camion jusqu'à quelques centaines de mètres du rivage. André et son fils croyaient bien qu'ils ne risquaient absolument rien…

Ils étaient arrivés à Saint-Donat un peu après neuf heures, et voilà qu'il était déjà temps de revenir à la maison. Parti rapidement, André n'avait pas préparé de lunch et Félix commençait à avoir drôlement faim.

— Allez, petit, ramasse tes brimbales. Mon estomac crie famine et faut se rendre à l'évidence, on ne sortira pas une seule petite truite d'ici aujourd'hui.

— Mais papa, on peut pas revenir à la maison sans un seul poisson. Ça nous est jamais arrivé cet hiver.

— Regarde aux alentours, les autres n'ont pas plus de succès que nous. Ça ne donne rien de rester ici. On s'en va.

— Mais on a juste à changer de place. Si on allait dans la petite baie près de l'île... tu sais, là où on a pris un paquet de truites le lendemain de Noël ? Ça va encore être bon aujourd'hui... c'est le meilleur spot sur le lac.

— Non. Ça ne mordra pas plus et c'est risqué de traverser le lac. Ça ne donne rien d'insister, Félix, on rentre à la maison. J'aime mieux affronter ta mère que de risquer notre vie en allant à l'autre bout du lac Archambault ! avait affirmé André, qui se trouvait très drôle.

— C'est ça... Maudite belle fin de semaine. Passe la *game* sur le banc hier pis aujourd'hui, pas foutu de prendre un petit maudit mené de rien. J'aurais dû rester à la maison et jouer au Xbox avec Carl...

D'un naturel flegmatique, André avait fini de ranger l'équipement sans rien dire. Mais plutôt que de revenir vers la remorque pour embarquer la motoneige, il avait bifurqué vers le large en accélérant.

« Dans le fond, Félix a bien raison », s'était-il dit intérieurement.

— Qu'est-ce que tu fais, papa ? avait hurlé Félix en criant pour que son père l'entende malgré le bruit du moteur qui grondait.

— On s'en va à ton spot près de la baie.

— Mais tu ne voulais pas tantôt... Tu disais que c'était dangereux...

— Oublie ça, la glace est solide, fiston. C'est toi qui as raison, mon homme. Quel week-end décevant ! La glace semble solide, alors pas question de revenir bredouilles. Si ça mordait dans la baie à Noël, ça va encore mordre aujourd'hui et, au retour, on pourra exhiber nos prises à tout le monde à la marina. Mais on va aller le plus vite possible pour ne pas prendre de risque !

C'est la dernière phrase que devait prononcer André Riopel. À peine avait-il répondu à son fils que la motoneige s'était envolée brusquement. En se retournant vers l'arrière pour parler à Félix, André n'avait jamais vu qu'il se dirigeait directement vers un petit amoncellement de neige, probablement causé par le vent. L'engin avait frappé le monticule violemment. Du coup, le garçon avait été expulsé de la motoneige, était tombé à la renverse et avait chuté tête première, son casque amortissant toutefois l'impact. Il n'avait fallu qu'une fraction de seconde à Félix pour se relever, mais dès qu'il avait tourné les yeux vers la motoneige, il l'avait vue retomber sur le côté et fracasser la glace sous la force du coup. À la suite de ce vol plané, André s'était retrouvé sous la machine. Non seulement était-il écrasé par des centaines de livres de métal, mais en plus, il n'avait aucun moyen de s'extirper de cette position, lorsque la glace avait cédé subitement.

Impuissant, le petit Félix avait vu son père disparaître sous ses yeux. À peine avait-il eu le temps de réaliser ce qui venait d'arriver qu'il ne restait plus qu'un trou tout juste devant lui. Pris de frayeur, le jeune garçon avait lancé un cri de panique en regardant le cercle, où l'on ne voyait que de l'eau. La seconde suivante, un bruit sec s'était fait entendre. C'était la glace qui craquait autour de l'endroit où la motoneige avait disparu soudainement. Sans se poser de questions, affolé, le petit avait décampé en courant vers le rivage, en pleurant et en criant de toutes ses forces. À ce moment précis, aucun autre enfant de douze ans au monde n'aurait pu franchir la distance plus rapidement que lui pour aller chercher du secours.

Les pêcheurs aux abords du lac l'avaient entendu de loin. Pas besoin d'un dessin, toutes les personnes présentes avaient compris ce qui venait de se produire pratiquement sous leurs yeux. Puis ça avait été la panique. Madame Dubeau, qui connaissait la famille Riopel depuis des années, avait éclaté en sanglots et avait pris le petit avec elle. Pendant que son mari composait le 911 en haletant, ses deux fils étaient partis en vitesse avec deux cordes qu'ils utilisaient normalement pour attacher des toboggans à l'arrière de leur motoneige. Félix les avait regardés s'éloigner en criant de rage et en se débattant pour se soustraire à l'emprise de madame Dubeau afin de les suivre. Les secours appelés, monsieur Dubeau était venu prêter main-forte à son épouse pour maîtriser le petit Riopel, qui se débattait encore avec vigueur, en hurlant et en pleurant. Assez costaud, Constant Dubeau s'était même demandé comment elle avait pu retenir le gamin.

Partout à la ronde, on n'entendait que des « Papa! Papa! » à répétition. Ces cris de détresse et de désespoir retentissaient, se perdaient dans l'écho du lac et semblaient résonner à l'infini. En un instant, de bons samaritains étaient accourus, nombreux, à la rescousse. Mais il était trop tard. Les plongeurs de la Sûreté du Québec n'avaient retrouvé le corps d'André Riopel que le lendemain, sur l'heure du dîner.

Quatre ans plus tard, Félix n'a toujours pas réussi à oublier une seule petite seconde de cette catastrophe. Depuis quatre ans, à chaque jour qui passe, il se dit que tout ça, c'est sa faute. Son père, le héros qu'il aimait tellement, est mort à cause de lui. Responsable de toute cette situation, le voilà maintenant prêt à abandonner sa mère et sa sœur. Qui, sinon un fils ingrat et sans cœur, pourrait agir ainsi simplement pour jouer au hockey?

Félix se sent soudain envahi par un incontrôlable sentiment de mélancolie et de tristesse. S'il retient ses larmes, c'est pour une seule et unique raison. Il n'est pas seul dans sa chambre ce matin.

Il regarde sa belle Emma qui a passé la nuit chez lui et qui dort toujours dans son lit. Contrairement à ce qu'il serait permis de croire, cela n'aide pas Félix à retrouver le sourire. Un mince rayon de soleil perce à travers le store et vient terminer sa trajectoire directement sur le visage impeccable de la ravissante Colombienne, comme si elle se retrouvait dans une scène d'un film d'amour. Jamais il ne l'a trouvée aussi séduisante que ce dimanche matin.

S'il part à Rouyn, tous les méchants vautours de l'école vont rôder autour d'Emma et il ne sera pas là pour veiller au grain. Attirante comme tout avec ses longs cheveux charbon, ses yeux verts, ses lèvres invitantes et son corps parfait, elle sera très certainement un objet de convoitise très prisé pour tous les abrutis de la Mauricie. Et si un imbécile ose s'en permettre un peu trop, il ne sera pas là pour la défendre, comme la fois où il a assommé Hugo Turcotte d'un solide uppercut au menton. Mais s'il ne va pas en Abitibi, il sera en mesure de réagir advenant que sa bien-aimée tombe sous le charme d'un beau parleur. S'il va rejoindre les Huskies, qui sera là pour surveiller sa belle ?

À bien y penser, qu'a-t-il à gagner à se tailler un poste immédiatement avec Rouyn ? De toute façon, le coach l'a dit : sur papier, les Huskies présentent l'une des meilleures formations juniors au pays et il n'y aura pas de place pour lui là-bas. Dans le fond, la logique demande qu'il retourne jouer une autre saison dans le midget AAA, avec les Estacades. Il sera ensuite plus mature pour monter dans la LHJMQ dans un an.

Avec du recul, il est maintenant clair qu'il erre depuis des mois en analysant la situation. En fin de compte, c'est Richard Caisse qui a raison. Rouyn a un club paqueté et Félix n'a aucune chance de percer cette formation… en fait, il a peut-être une petite chance, mais veut-il la saisir ? En y pensant bien, il connaît déjà la réponse. Non, il ne veut pas saisir cette chance cette année. De toute façon, il sera préférable pour lui de terminer son secondaire convenablement et, en plus, s'il reste avec les Estacades, il sera toujours sur la patinoire et il pourra probablement inscrire son nom dans le livre des records de l'équipe… et pourquoi pas celui de la ligue ?

La question est réglée. Félix ferme la page de Mapquest, éteint son ordinateur, regarde l'heure et replonge sous les couvertures pour rejoindre délicatement son amoureuse, sans la réveiller. Enfin, il peut se rendormir l'âme en paix et l'esprit tranquille. Sa décision est prise. Comme prévu, il ira au camp des Huskies dans deux mois et demi, mais il reviendra terminer son secondaire en Mauricie et retournera jouer pour les Estacades midget AAA.

4

Quand on se compare, on se console

— Mais t'es vraiment le pire attardé que je connaisse ! s'exclame Carl en fusillant son meilleur ami du regard. C'est quoi, ton problème, *man* ?

— Hey ! Écoute-moi avant de pogner les nerfs, réplique Félix. Ça fait un mois que j'ai décidé ça et t'es le premier à qui j'en parle… et le dernier aussi. J'en reviens pas que tu me comprennes pas. C'est pourtant très logique.

— Y a absolument rien de logique dans ton affaire, Félix. Je vais te dire une chose : je pense plutôt que t'as tout simplement peur de quitter ton petit confort, ta petite maman qui fait tout à ta place, tes chums qui sont toujours là pour toi, ta blonde qui t'aime, les profs que tu tètes depuis que t'es au secondaire… ah oui, pis Pierre Vachon, le coach des Estacades qui va te traiter en star si tu reviens jouer midget. C'est ça, la vraie histoire ; t'as la chienne. T'as peur de la nouvelle vie qui t'attend à Rouyn.

— Premièrement, parle pas si fort, Carl, demande Félix en chuchotant et en regardant vers la porte du patio pour vérifier si sa mère a entendu. Tu dis n'importe quoi pis tu le sais.

— C'est toi qui dis n'importe quoi. Voyons donc, voir si ça a du bon sens de vouloir revenir à Louiseville. C'est ta pire idée à vie. Pire encore que la fois où t'avais proposé qu'on aille sur le viaduc pour lancer des œufs sur les voitures qui passaient sur l'autoroute 40… pis ça, c'était une méchante idée de cabochon. On avait failli se faire pogner par la Sûreté du Québec, à cause de toi.

Découragé par ce que son ami vient de lui annoncer, Carl prend une pause en hochant la tête et en expirant l'air de ses poumons avec lassitude. Déjà qu'il joue les cheerleaders avec son père depuis quelques mois, devra-t-il dorénavant tenir le même rôle auprès de son meilleur ami ? C'est pourtant lui qui devrait trouver une oreille à qui se confier, avec ce qui l'attend cet été.

— Je vais te dire une chose, Félix, reprend-il. Même si j'ai toujours embarqué dans tous tes projets de cave, cette fois-ci, je te jure que je suis pas dans le coup. Non, c'est hors de question que je sois d'accord avec toi. En plus, tu passes ton temps à me dire : « Ah ! si mon père était là, il ferait ci ou il ferait ça, il penserait ci, il penserait ça… » Tu sais quoi ? Si ton père était là, il ferait exactement la même chose que moi, et tu le sais très bien. C'est certain qu'il te dirait d'arrêter tes niaiseries, de lâcher la jupe de ta mère et d'oublier ta blonde pour te concentrer sur le hockey.

— Ben sacrement ! C'est justement parce que mon père est pas là que je veux pas partir à Rouyn-Noranda, l'interrompt Félix en échappant un sanglot et en se détournant par orgueil pour ne pas montrer ses larmes. Toute ma vie serait tellement différente si mon père était vivant. Pis toi, tu me fais la morale. Tu sais pas ce que c'est d'avoir juste un parent.

— Non, je l'sais pas, mais je sais ce que c'est d'avoir un chum qui est meilleur que tout le monde au hockey et qui là est en train de s'arranger pour passer à côté de son rêve, pour le regretter plus tard. Parles-en à d'autres et tu vas voir que tout le monde va dire comme moi.

— Non. C'est ben correct comme ça. Si toi tu me comprends pas, y a pas un chat qui va me comprendre. *Anyway*, à qui tu veux que je demande conseil ? Pis en plus, je pense que je suis capable de savoir ce qui est bon pour moi… D'ailleurs, c'est pas un conseil que je te demandais. Je t'expliquais ce que j'avais décidé de faire et t'as le droit de pas être d'accord. Par contre, ma décision est prise et je changerai pas d'idée pour autant.

Pour essayer de s'attirer la sympathie de son meilleur ami et plus grand confident, Félix entreprend de lui expliquer en détail ce qui a motivé son choix. Ses arguments ont du poids, pourtant Carl ne change pas son fusil d'épaule. Dans son esprit, il ne s'agit pas d'explications, mais d'un long plaidoyer laconique qui n'a pour but que de le convaincre de son raisonnement.

Têtu et beaucoup trop fier pour avouer que Carl a peut-être raison, Félix continue de déballer ses arguments avec conviction sans donner la chance à son ami de l'interrompre, ne serait-ce qu'une seule petite seconde.

Un jour, alors qu'il feuilletait de façon distraite les pages d'un magazine dans la salle d'attente du dentiste, Félix avait lu dans une revue une citation d'un grand homme politique qui disait que le plus important, ce n'est pas toujours la décision que l'on prend, mais plutôt la façon dont on réussit à la justifier aux yeux des autres. Cela l'avait frappé, car d'instinct, cette devise, il l'avait toujours mise en application. D'ailleurs, sa sœur Véronique est encore plus douée que lui dans l'art de convaincre. Ce doit être un trait de caractère familial !

Et pendant qu'il s'enflamme en enchaînant promptement ses histoires, avec une logique à toute épreuve, Carl abdique inconsciemment. C'est toujours le même scénario entre eux. Pas toujours, peut-être, mais très souvent. Félix déballe son sac et Carl écoute.

Peu importe la situation, ce sont toujours les joies, les peines ou les conflits de Félix qui priment. Bien sincèrement, Carl doit avouer qu'il vit un peu la même chose avec tous ses autres amis. Mature et plutôt sérieux pour son âge, depuis l'entrée au secondaire, il semble attirer les confidences, et il s'avère que ça s'intensifie depuis quelques mois. La plupart du temps, ça se passe sur les sièges de l'autobus, mais à l'heure du dîner, la cafétéria de la polyvalente devient parfois un véritable confessionnal. Ce rôle ne lui déplaît toutefois pas outre mesure... surtout quand il prête une oreille attentive à une fille. Et, en toute honnêteté, sa participation se limite presque toujours à écouter sans dire un mot, en affichant un léger air de compassion, et c'est exactement ce qu'il fait en ce moment alors que les justifications de Félix se perdent dans un discours inutile qui ne pénètre même pas son cerveau. Il faut dire que les révélations des filles sont beaucoup plus intéressantes que celles de son meilleur ami. Le moment qu'il préfère, c'est quand une demoiselle en détresse veut lui parler parce qu'elle vient de se faire larguer par son petit ami. Si ça implique un bon copain, il refuse systématiquement ; par contre, s'il ne connaît pas l'abruti dont il sera question, il plonge dans l'aventure et recueille des aveux souvent étonnants. D'ailleurs, quoi de mieux qu'un gros câlin pour réconforter toutes ces petites âmes en peine ? Ces petits moments d'affection valent bien les quelques minutes passées loin de ses copains.

— Donc, j'espère que tu comprends que si, en plus, je suis pour jouer juste quelques minutes par match à Rouyn, c'est pas mal mieux pour moi de rester ici, poursuit Félix qui n'a pas encore achevé son interminable laïus. Je pourrais aussi me concentrer pour bien réussir ma dernière année au secondaire. De toute manière, je suis certain que Caisse m'haït. Juste à la façon dont il m'a parlé au repêchage, c'est comme assez clair que je serai coupé, même si je connais un camp extraordinaire… Allô ! La Terre appelle la Lune ! Coudonc, Carl… on dirait que tu m'écoutes pas. C'est vrai qu'il a pas l'air de m'aimer, le coach, continue Félix.

— Heu… le coach ? Oui, tu m'as dit ça au repêchage. Mais il me semble que tu l'avais un peu provoqué, rétorque Carl, pour démontrer un peu d'intérêt.

— De toute façon, à ce que j'ai entendu dire de lui, je me demande s'il aime quelqu'un dans son équipe, reprend Félix. Paraît qu'il passe son temps à crier après les gars. Il dénigre tout le monde et il est jamais content de rien. Les joueurs racontent qu'avec lui, y a jamais rien de correct, même si tu gagnes trois ou quatre à zéro. Il voit que le négatif. En plus, on dit qu'il passe son temps à péter sa coche pis qu'il brise des bâtons et sacre comme un malade. Dubeau m'a dit que l'année passée, pendant un entraînement, il a donné un coup de bâton dans le dos d'un gars qui avait rien compris du *drill* et qui était parti du mauvais bord. Ça a l'air que quelques pouces plus haut, il l'aurait pogné dans le cou… C'est un moyen fou, ça, Richard Caisse. Imagine, je vais arriver au camp et je sais déjà qu'il me déteste. Dans le fond, ce serait une perte de temps. Ça me donne rien de faire des plans et d'imaginer ce que pourrait être mon hiver en Abitibi. Y en aura pas, d'hiver en Abitibi, car c'est clair que le mieux pour moi, c'est de revenir ici.

— Donc, la vraie raison, c'est que t'as la chienne. C'est à cause de Richard Caisse que t'aimerais mieux revenir jouer midget AAA, conclut Carl avec un petit sourire baveux.

Il connaît tellement son comparse qu'il fait le pari que cette remarque va l'ébranler. Selon lui, l'expression « orgueilleux comme un paon » devrait être révisée. Ça aurait tellement plus de sens de dire « orgueilleux comme Félix Riopel » !

— Ouais… t'as raison, concède Félix. Comme dit Dany Dubé à la radio, « ça fait partie de l'équation ». Penses-tu vraiment que j'ai le goût de passer l'hiver à me faire chier avec un gros mongol ?

— C'est clair que je comprends ça… et je comprends encore plus que tu le penses, répond Carl en baissant les yeux vers le sol.

Félix est touché et surpris de la grande mansuétude de son meilleur ami. Quand il voit une larme couler sur la joue de Carl, il se sent vraiment mal à l'aise. Il ne faudrait toutefois pas dramatiser la situation… Se faire crier après par un coach, c'est monnaie courante. Et rien ne garantit que son séjour à Rouyn va forcément se dérouler comme il vient de l'imaginer et de le décrire.

— Voyons, Carl, fait Félix. C'est peut-être juste des légendes urbaines. Ça veut pas dire que les choses vont se passer de même à Rouyn. Arrête de faire ta fille, batinse.

— Laisse faire. Ça a même pas rapport. Toi, ton problème, c'est de savoir si tu vas jouer junior majeur ou midget AAA et tu mets ça sur le compte du coach, lance Carl en essuyant sa joue du revers de la main. Moi, je dois arrêter complètement le hockey à cause de l'entraîneur. C'est fini. J'irai même pas au camp. C'est la seule chose que j'aime dans la vie avec la musique, et là, ça va s'arrêter d'un coup sec, à cause d'un maudit babouin.

— Excuse-moi, mais là, je te suis pas pantoute.

— D'après toi, avec tous les gars qui reviennent de l'année passée et qui veulent pas aller au midget AA, quelles chances j'ai de faire le BB, sérieusement ? demande Carl.

— Ouais… ben là, c'est clair que ça va être difficile. Je pense que l'autre jour, au party chez Suzie, le gros Carufel disait qu'y a une affaire comme cinq défenseurs de l'an passé qui reviennent au BB, pour une deuxième saison de suite. Mais c'est pas grave. Je te comprends pas une seule seconde. Si tu te fais retrancher, t'as juste à jouer CC, comme l'année dernière.

— Ah oui? Quelle bonne idée, Félix... mais sais-tu qui a été nommé coach du midget CC?

— Je savais même pas que les entraîneurs étaient déjà nommés. L'école vient de finir, ça ne fait même pas deux semaines. Mais je vois pas le rapport avec ta retraite du hockey pis le coach du midget CC.

— Pis si je te disais que c'est Mike Bélair?

— Non! Jure-le! s'écrie Félix, ébahi. Ben là, qu'est-ce que tu vas faire? Tu peux quand même pas jouer pour ce gros trou de cul là!

— C'est ce que je te dis. C'est fini le hockey pour Carl Lapierre.

Le nom de Mike Bélair résonne encore dans la tête de Félix, qui comprend soudainement le désarroi de Carl. Il est assommé par cette annonce inattendue et du coup son histoire devient bien secondaire. Cette couleuvre sournoise au sourire étincelant serait cent fois pire à endurer pour Carl que le seraient pour lui les colères prévisibles de Richard Caisse, à Rouyn.

« Monsieur Remax » va donc diriger le midget CC de Louiseville. La suite n'est pas compliquée : il faut que Carl s'entraîne plus fort que tout le monde cet été afin de tasser un des gars déjà assuré de son poste dans le BB.

Du niveau atome jusqu'aux rangs bantams, Félix et Carl ont toujours joué ensemble, dans la même équipe. Toujours dans la catégorie BB. Même s'ils se connaissaient déjà à cause de l'école et qu'ils ne demeuraient qu'à trois rues de distance, c'est ce qui a fait d'eux des amis inséparables. Une fois chez les bantams, Félix a toujours poursuivi son développement dans la catégorie AA alors que Carl a alterné entre le CC et le BB. S'il n'est pas en mesure de brouiller les cartes et de se tailler un poste avec la formation midget BB, et puisqu'il est tout simplement hors de question qu'il se présente au CC, sa seule option consistera alors à rétrograder jusqu'au midget A… et pas question de s'abaisser à jouer dans le A. La dernière fois qu'il s'est retrouvé dans cette catégorie de jeu, c'était à l'âge de huit ans, chez les novices, où il n'y a pas de catégorie double lettre de toute façon.

— Passer une saison dans le A ? Jamais de la vie ! Vaut mieux abandonner le hockey. J'espère que tu comprends ça au moins, Félix.

— Ouais… Honnêtement, je sais pas quoi te dire. C'est certain que tu peux pas jouer pour Bélair, mais de là à lâcher le hockey ? Peut-être que tu pourrais avoir une libération et aller jouer dans une autre ville. Pourquoi pas à Berthierville ? C'est pas dans la même ligue, en plus. Ça avantagerait pas un autre club de la Mauricie. C'est une idée de génie, ça, car Berthier, c'est pas loin de Louiseville et ils sont dans la ligue de Lanaudière ! Ton problème est réglé. T'avais juste à m'en parler avant, Carl !

— Ben oui. Maudite bonne idée. Si ma mère accepte que son espèce d'épouvantail coache le CC, comment tu penses qu'elle va réagir quand elle va apprendre que j'aimerais mieux me retrouver dans un club de Berthier plutôt que celui de son chum ? C'est pas compliqué, elle va piquer une sainte colère, car ce ne serait pas gentil pour son beau « monsieur Remax », et y a seulement lui qui compte maintenant dans sa vie. Si elle a même pas été assez intelligente pour comprendre par elle-même qu'il avait rien à faire derrière le banc du CC, elle va encore moins comprendre que je veuille jouer ailleurs. Pis *anyway*, j'ai pas le goût d'aller de me retrouver dans une autre organisation. Si je suis retranché du midget BB, j'arrête, point final. J'investirai plus d'heures dans mon *band* de musique, c'est tout.

— Tu vas lâcher le hockey ? Comme ça ?

— Ben oui, Félix. Je vais lâcher le hockey. Comme ça. Comme toi tu refuses de relever le défi de monter dans le junior majeur dès cette année. Faut que t'arrêtes de toujours croire que la vie te persécute et que t'es le seul au monde pour qui tout est pas toujours parfait. Sors de ta bulle, Félix.

— T'es pas correct de dire ça. J'ai toujours été là pour toi et c'est encore plus vrai depuis le divorce de tes parents. Franchement, je suis ton meilleur chum. Tu dis des niaiseries, Carl. Je comprends vraiment que tu veuilles pas jouer pour « monsieur Remax »... surtout que tu serais le meilleur défenseur de son club et que tu le ferais gagner. Mais j'y pense, si Bélair veut coacher le midget CC, c'est juste pour être certain que son fils va faire le club ?

— Ben, c'est sûr que c'est la raison. Sinon, penses-tu qu'il perdrait son temps à coacher ? Il est tellement nul en plus. La seule année où il a coaché, paraît que c'est même pas lui qui préparait et dirigeait les entraînements. Lui, son trip, c'est de se prendre pour le petit boss et de se retrouver derrière le banc pour impressionner les mères. Quand un gars qui se nomme Michel veut se faire appeler « Mike » parce que ça fait plus *hot*, ça te donne une idée de la personne !

— Ouais, pis quand le Mike en question se promène avec sa propre photo sur son camion, ça veut dire qu'il est encore plus *hot*, s'écrie Félix en éclatant de rire. Sérieusement, Carl, je comprends vraiment pas ce que ta mère lui trouve. Y a beau être plein de cash, son Mike, reste que c'est un méchant raisin.

— Du cash ! T'es pas bien, interrompt Carl. Y a même pas une cenne de côté. Ce gars-là, c'est juste un vendeur de boucane… un pelleteux de nuages, comme dit mon père. Y a pété de la belle broue à ma mère, pis elle, la tarte, elle est tombée en amour avec lui, et là, elle tripe comme une petite adolescente boutonneuse qui n'a jamais eu de chum avant dans sa vie. Une vraie honte…

Il y a six mois, quand Sonia Grenier avait laissé Paul Lapierre, Félix s'était surpris à penser que c'était peut-être une bonne chose que son père soit décédé tragiquement sur le lac Archambault. Avant le terrible accident, ses parents avaient souvent des prises de bec et le ton montait de plus en plus fréquemment à la maison. Aujourd'hui, ils seraient probablement divorcés, eux aussi, comme les parents de Carl. Et à l'instar de la plupart de ses amis, il serait tiraillé entre son père et sa mère. Paraît que c'est plutôt pénible de toujours tenter de faire plaisir à son père et à sa mère, mais si l'on tire habilement les ficelles, la rumeur dit qu'on peut en tirer profit facilement, car avoir des parents séparés, ça signifie aussi deux fois plus de vacances et de cadeaux, mais surtout plus de liberté pour un habile négociateur. Mais Félix n'a pas ce problème. Carl non plus d'ailleurs.

En effet, Carl a mis cartes sur table sur-le-champ et, contrairement à la plupart des enfants impliqués dans ce genre de conflit, il a choisi son camp dès le départ.

Il y avait quelque temps que ses parents cherchaient une nouvelle maison un peu plus spacieuse et plus luxueuse. Comme son père connaissait bien Mike Bélair, le moment venu, c'est lui qu'ils avaient choisi comme agent immobilier pour leur dénicher exactement ce qu'ils convoitaient. Mais ce dossier était vite devenu celui de sa mère et, presque chaque soir, elle partait avec Mike pour visiter des résidences dans le voisinage. Sonia avait fini par trouver exactement ce qu'ils recherchaient : une grande demeure de plain-pied, située pas trop loin de la Petite rivière du Loup, un peu en retrait de ce que l'on pourrait presque appeler le centre-ville de Louiseville.

Le lendemain, toute la famille était allée visiter le lieu en compagnie de « monsieur Remax ». En théorie, l'affaire était quasiment réglée, car Paul se ralliait toujours aux idées de son épouse et Sonia n'avait que des éloges à formuler sur l'endroit. Comme les propriétaires de la maison passaient l'hiver en Floride, on pouvait visiter la maison en toute liberté.

La visite avait eu lieu un peu après le souper, vers dix-neuf heures. Carl n'avait rien trouvé de particulièrement attrayant, au contraire. Il serait encore plus loin de ses amis. Comme personne ne lui avait demandé son avis, il ne s'était même pas exprimé sur le sujet. De toute façon, dans trois ou quatre ans environ, il ne vivrait plus chez ses parents, alors à quoi bon leur dire qu'il trouvait que c'était une maison affreuse, située en plein milieu des bois? Si on l'avait questionné, il aurait essayé de réunir le courage nécessaire pour répondre: « Vous savez quoi? C'est super ici, mais vous devriez convertir la place en cabane à sucre, je suis certain que ça marcherait! »

Mais personne ne l'avait interrogé, alors, comme à l'habitude, il avait gardé son opinion pour lui. Dans ce cas-ci, c'était probablement mieux ainsi, car ses parents paraissaient réellement ravis de leur découverte et il aurait été inutile de gâcher leur plaisir. Ça aurait fait de la peine inutilement à sa mère qui semblait tellement emballée. Carl se souvient de l'avoir regardée et de s'être dit qu'elle rayonnait littéralement. Ce devait être la satisfaction d'avoir trouvé la perle rare.

D'ailleurs, Paul aussi semblait ravi. Nul besoin de s'éterniser sur place, c'était le havre de paix que le couple recherchait. De toute façon, Paul et Carl devaient partir pour aller à l'entraînement de hockey qui devait avoir lieu à vingt heures. Heureusement, Sonia avait utilisé sa propre voiture, de sorte qu'une fois la visite terminée, elle n'avait pas été obligée de partir tout de suite. Elle désirait demeurer dans leur future maison pour prendre les mesures des fenêtres. Mais elle n'avait pas prévu que son étourdi de fils allait oublier son iPod sur le comptoir de la cuisine. Alors, dix minutes après le départ du père et du fils, quand Carl s'est précipité en trombe dans la maison alors que Mike Bélair et elle étaient à moitié nus, couchés sur la grande table en bois de la cuisine, le choc fut épouvantable.

Ce soir-là, Mike Bélair a perdu une vente. Paul Lapierre a perdu sa femme et Carl, beaucoup d'illusions. Pendant des semaines, Carl s'en est terriblement voulu d'avoir été distrait au point d'oublier son iPod. S'il l'avait gardé sur lui, il n'aurait jamais été témoin de cette scène répugnante. Peut-être que Sonia se serait vite blasée de l'agent d'immeubles et que la vie aurait continué comme avant, sans que ni lui ni son père s'aperçoivent de quoi que ce soit… et aujourd'hui tout serait encore comme avant.

Mais plus rien n'est comme avant.

— Écoute, Félix, je commence à peine à parler de nouveau à ma mère, alors je ne causerai pas de chicane. Si je suis coupé du midget BB, je dirai simplement que je veux mettre toute mon énergie sur la musique et l'école et je suis certain que ça va très bien passer.

— Mais on s'en fout de ta mère pis de ses émotions ! Je parle de toi, gros cave. Ça a pas de sens que t'abandonnes le hockey quand il te reste encore deux autres années midgets.

— Ce qui a pas de sens, c'est que je joue pour Mike Bélair. Même si je faisais une chicane pour ça, tu te rends pas compte que ma mère ne vit que pour son beau Mike. Elle comme « obulée » par lui.

— On dit « obnubilée ».

— Mettons. Elle est « obnibulée » par lui.

— « Obnubilée ».

— Elle est ensorcelée par lui. Elle ne voit que lui. Mike est le plus beau, le plus fin, le plus intelligent, le plus fort et blablabla. Elle est même pas capable de comprendre qu'il me tapait déjà sur les nerfs avant que je les prenne en train de baiser. Imagine si j'ai le goût de lui voir la face maintenant.

— En tout cas, tu lui as déjà vu le cul !

— Maudit que t'es épais, Félix !

Cette remarque lancée à brûle-pourpoint dédramatise les dernières minutes. La demi-heure qui vient de passer a été plutôt intense pour un mardi matin. Il n'est même pas encore onze heures et les deux amis sont là depuis déjà un bon bout de temps, assis sur le rebord de la piscine creusée, les pieds dans l'eau, à se confier leurs problèmes en murmurant. En fait, ce n'est rien de nouveau, sauf qu'aujourd'hui les deux garçons sont allés au fond des choses. Ils ont mis leurs tripes sur la table pour se raconter ce qu'ils ressentent, sans fausse pudeur. Ça a toujours été comme ça entre eux, mais pour des raisons obscures, il y a de ces journées qui semblent plus propices que d'autres aux confidences.

Depuis la mort de son père, Félix n'a jamais caché ses états d'âme à Carl et c'est une autre des raisons pour lesquelles les deux ados sont aujourd'hui si proches. Jamais l'un d'eux n'a brisé le lien de confiance. Entre eux, un secret demeure un secret pour l'éternité et jamais l'un n'a jugé l'autre. Pas besoin de faire des pactes comme les filles ou de faire dans la dentelle quand vient le temps de se parler. Ils peuvent se dire les vraies choses dans le blanc des yeux sans craindre une réaction étrange.

— Salut, les deux pas de vie !

— Ta gueule, Véronique. D'où tu sors, la sœur ?

— J'étais cachée juste là, dit-elle avec son plus beau sourire en pointant la haie de cèdres, tout juste à côté.

Les yeux presque sortis des orbites, Félix regarde Carl pour voir s'il pense la même chose que lui. Il est clair que la jeune chipie a tout entendu de leur conversation qui se voulait pourtant un entretien privé. Pire, elle les a peut-être filmés en enregistrant le son. En tout cas, une chose est certaine, elle les a assurément écoutés et ça se voit juste à son sourire éblouissant.

— Depuis combien de temps t'étais là, cachée à nous espionner ?

— Je dirais un gros quinze minutes.

En voyant les deux garçons pâlir simultanément et instantanément, Véronique comprend du coup que l'heure n'est pas aux plaisanteries. Pour une rare fois, elle abdique et rend les armes sur-le-champ. Pour une rare fois, elle a peur de la réaction de son grand frère.

— Je blague. J'étais dans la maison. J'ai rien entendu de vos niaiseries. Emma vient de téléphoner pour te parler, mais je savais pas où t'étais. Elle a essayé de te joindre sur ton cell, mais tu ne réponds pas.

— Qu'est-ce qu'elle voulait ?

— Je le sais-tu, moi ? Appelle-la, tu vas le savoir. À part de ça, depuis quand tu traînes pas ton téléphone avec toi ?

— Depuis que je me baigne, pauvre épaisse. T'en connais-tu beaucoup des gens qui sautent à l'eau avec leur téléphone ?

Sans même attendre la réplique de sa sœur, Félix se jette dans la piscine et, comme il le fait toujours, il retient son souffle le plus longtemps possible, mais cette fois, c'est qu'il veut donner le temps à Véronique de déguerpir. Lorsqu'il ressort la tête de l'eau, persuadé d'avoir battu son record personnel, elle a effectivement disparu. C'est une victoire morale !

— Vous avez absolument aucun bon sens, ta sœur et toi, lui lance Carl qui saute dans la piscine.

— Tu me l'as déjà dit une centaine de fois! Franchement, Carl, je commencerai pas à me laisser dire quoi faire par une petite fille qui vient juste d'avoir quatorze ans. En plus, c'est toujours elle qui part la chicane. *Anyway*, oublie ça, c'est sans importance.

— Mais t'as jamais pensé qu'elle aimerait peut-être ça que tu sois gentil avec elle? En tout cas, moi, si j'avais une petite sœur, c'est assez clair que je serais toujours attentionné envers elle et que je serais son protecteur. Pis au pire, sans être gentil, tu pourrais au moins essayer de pas être antipathique.

— C'est ben facile à dire, Carl. T'es enfant unique. Tu sais pas ce que c'est de *dealer* avec Véro sept jours sur sept! D'après moi, c'est la sœur la plus *gossante* du monde. Même que si tu étais réellement à ma place, tu serais probablement pire que moi avec elle. À quatorze ans, on est supposé de prendre son trou et de pas écœurer son grand frère. C'est un principe quand même assez facile à comprendre... mais faut dire que ma mère m'aide pas en prenant toujours pour elle. Je l'aime, Véro, mais elle me tape sur les nerfs. C'est pas compliqué, elle a toujours besoin d'attention.

— Ouais... ça doit certainement pas être facile d'être ami avec quelqu'un qui a toujours besoin d'attention! conclut Carl en regardant son copain sans pouvoir s'empêcher de rire de sa propre blague.

— Qu'est-ce qu'y a de drôle?

— Ah, rien du tout ! C'est que des gens qui ont besoin d'attention, d'après moi, y en a certainement deux dans ta famille, et je parle pas de ta mère… pis si je calcule ta belle Emma, le nombre monte à trois !

Voilà qui cloue le bec à Félix et qui met momentanément un terme à la discussion. Lorsqu'ils sortent de la piscine, une vingtaine de minutes plus tard, les deux compères sont ragaillardis. C'est comme si l'eau fraîche et le chlore avaient lavé leurs problèmes. L'ombre malsaine des entraîneurs Richard Caisse et Mike Bélair s'est dissoute. Les idées noires qu'ils entretenaient chacun de leur côté se sont lentement désagrégées. La distance entre Rouyn et Louiseville, la trahison de Sonia, les craintes de l'échec, tout ça a été emporté par un tsunami invisible, mais drôlement efficace. Vingt minutes, ce n'est rien pourtant. C'est une saucette parmi des centaines d'autres dans un été de vacances. Mais en ce chaud matin de juillet, ils se sentent comme si leur cerveau en ébullition avait fait *reset* au contact de l'eau.

Résigné depuis plusieurs jours à accepter son sort, Félix vient de découvrir que son meilleur ami est dans le même bateau que lui. En fait, c'est faux. La situation de Carl est décidément la pire des deux, car c'est forcément la retraite qui l'attend, en cas d'échec. Pendant qu'il retenait son souffle, dans le fond de la piscine, en essayant d'améliorer son record du monde, l'espoir des Huskies a concocté un plan pour sauver la carrière de son chum.

Les yeux fermés, le corps flottant à demi submergé, Carl, lui, ne pensait qu'à une chose: les ennuis de Félix. Le cas de son ami est sans conteste plus catastrophique que le sien. Si Félix limite ses efforts à Rouyn, cela signifiera peut-être la fin d'un destin tout tracé vers une glorieuse et lucrative carrière. En comparaison, quelles seront les conséquences s'il abandonne le hockey? Deux années de moins dans le hockey mineur? *Big deal.* S'il ne perce pas la formation du midget BB, Carl fera de la musique sa priorité. Il pourra aussi se chercher un petit boulot, car il sera disponible tous les week-ends. Dans le fond, à bien y penser, il lui est assez difficile de se plaindre. «Quand on se regarde, on se désole. Mais quand on se compare, on se console», répète souvent madame Lavigne. Vicky Lavigne pourrait-elle être la blonde de son père? Carl ne le sait pas et il pense bien que son père ne le sait pas plus que lui, d'ailleurs. La seule chose qu'il sait, c'est qu'elle semble vraiment gentille et que son père est différent quand elle se pointe à la maison. En fait, c'est à lui qu'elle récite souvent cette maxime, car Paul Lapierre s'apitoie souvent sur son sort. La belle madame Lavigne voit toujours la vie du bon côté. Avec elle, on dirait qu'il n'y a jamais de mauvais scénario. En fait, la seule chose qui l'irrite, c'est que Carl refuse de la tutoyer et de l'appeler par son prénom. Et bien entendu, Carl va persister pour la taquiner !

— J'ai eu un flash, Carl, dit Félix en essuyant ses longs cheveux et en rompant du coup le moment de silence. Dans le fond, y en a pas de problème pour toi. L'an passé, t'étais un des bons défenseurs du CC et même si les gars reviennent au BB, tu peux facilement tasser des défenseurs et voler une place dans le club. T'as qu'à venir avec moi tous les jours au gym Chez Mario et à t'entraîner en suivant le programme que les Huskies m'ont donné. Les gars du BB s'en sacrent, de s'entraîner pendant l'été. C'est clair que tu vas prendre une coche sur tout le monde, Carl.

— Ça va changer quelque chose, d'abord ! commente Carl. Tu y vas, quoi, deux fois par semaine ? Et puis je cours déjà tous les jours.

— Ben oui ! Tu cours. Bravo, champion, mais c'est pas ça dont t'as besoin. T'es *shapé* comme un Ficello. Ton cardio est déjà bon, faut que tu mettes un peu de viande là-dessus, réplique Félix en donnant une taloche amicale sur la maigre cuisse de Carl, qui fait six pieds, un pouce et cent soixante livres.

— Pis toi, t'es pas mal mieux, hein, Rippy ? Tu penses que t'améliores ton cardio en retenant ton souffle dans la piscine comme un beau christie de tata ? T'as beau pomper du métal, c'est pas ça qui va t'aider à faire le club à Rouyn ! Pis *anyway*, tu vas chez Mario seulement deux fois par semaine. Le « Ficello » est pas mal plus en forme que toi.

— Ben justement. J'ai pensé à ça en faisant le tata en dessous de l'eau ! J'ai un méchant bon *deal* à te proposer. On se pousse mutuellement tout l'été, on s'entraîne ensemble chaque jour, on mange bien, on sort plus avec les *boys*, on se motive l'un l'autre, et après tu vas faire le BB pis moi, je vais aller leur donner tout un show à Rouyn. *Fuck* Richard Caisse pis son tempérament de fou. *Fuck* la distance pis l'ennui. *Fuck the world...* s'tie. Si je suis capable, t'es capable de ton bord. Qu'est-ce qu'elle a dit l'autre jour, la blonde de ton père, quand on parlait du party de la Saint-Jean-Baptiste avec elle ?

— Elle a dit que dans la vie, y a pas de mauvaises options. Y a des situations où on se casse la tête inutilement et où on perd beaucoup d'énergie et de temps à réfléchir parce qu'on veut absolument trouver la meilleure. Tu devrais t'en souvenir, tu l'as répété toute la soirée en attendant Emma. Mais je suis pas certain qu'elle est vraiment la blonde de mon père.

— Premièrement, c'est évident qu'elle est sa blonde. Deuxièmement, c'est exactement ça, y a pas de mauvaises options avec mon idée. Si on se défonce comme des malades, soit on atteint nos objectifs et on est contents en batinse, soit on reste avec les scénarios auxquels on s'est déjà préparés de toute façon. *By the way*, puisqu'on en parle, elle est vraiment *hot*, la Vicky de ton père. Y devrait arrêter de niaiser avec la *puck* pis *closer* ce dossier-là au plus sacrant.

— Oh… *Doctor Love strikes again.* C'est vrai qu'Emma et toi, vous êtes un beau modèle ! Tu devrais faire tes messages directement à mon père !

— Ah, laisse faire les histoires de pétasses ! Est-ce qu'on a un *deal* ?

— Mets-en qu'on a un *deal* ! Tu vas voir que le « Ficello » va se qualifier pour le midget BB. Le « Ficello » va aller suer au gym de Mario en chantant *Pousse pousse* de Jonathan Painchaud et chaque fois que ça va faire mal en pompant de la fonte, le « Ficello » va penser au beau Mike !

— Tu l'as pas pris, hein, le coup du Ficello ! Avoue que c'est différent que de te dire que t'es *shapé* comme une asperge ! Mais *anyway*, pour rester dans le ton, je t'avouerai qu'y a pas de mauvaise option… un ou l'autre, asperge ou Ficello, ça t'illustre plutôt bien !

5
Un été de sacrifices

Alors qu'on est presque à la mi-juillet, le pacte conclu entre les deux amis survient un peu tard dans l'été. Surtout pour Félix qui devra partir pour Rouyn dans un peu plus d'un mois. Probablement qu'au cours des dernières semaines, tous les vétérans ainsi que tous les espoirs de l'organisation se sont entraînés avec beaucoup plus de sérieux et de rigueur que lui.

Félix Riopel est ce que les gens de hockey appellent « un talent naturel ». Il possède des habiletés qui s'apprennent et qui se développent difficilement. Le sens du jeu, le contrôle de la rondelle, les bonnes prises de décision ou les feintes spectaculaires sont des choses innées chez lui. C'est ainsi sans qu'on puisse vraiment l'expliquer.

C'était la même chose avec le baseball avant qu'il abandonne à treize ans parce que le hockey prenait trop de place et que sa mère devait alors se taper tout le voyagement toute seule. Comme pour le hockey, ce talent ne s'explique pas. Félix frappait la balle avec autorité presque à chaque présence, il lançait des prises à répétition lorsqu'il était au monticule et il exécutait des jeux à couper le souffle s'il se retrouvait au troisième but. À Louiseville, tous les amateurs de baseball étaient persuadés qu'il délaisserait un jour le hockey pour se consacrer uniquement au baseball et qu'on le verrait un jour avec les Ailes du Québec.

Mais Félix jouait pour passer le temps en attendant que le hockey recommence. Il a ensuite joué au golf pour occuper ses journées d'été en attendant que reviennent les camps de hockey. Au golf aussi, il était un naturel. L'été de ses treize ans, il l'a passé au club de Bobby Rousseau. L'ancien joueur vedette du Canadien de Montréal possède le terrain de Louiseville depuis plusieurs années et, comme il savait que Félix était un très bon joueur de hockey, il prenait souvent le temps de s'arrêter un peu pour lui parler et l'encourager. Chaque fois qu'il allait jouer au golf et qu'il revenait à la maison sans avoir croisé monsieur Rousseau, Félix était un peu déçu. Au début de l'été, il rapportait des cartes de jeu dont le pointage oscillait entre cent dix et cent vingt, pour un dix-huit trous. Puis, seulement quelques semaines plus tard, avant même le début de l'école, il brisait régulièrement le quatre-vingts… des tertres bleus. Voilà ce qu'on appelle un naturel.

Trop souvent, le problème avec les naturels comme Félix réside dans le fait que tout leur vient sans effort. Le talent de Félix s'est certes beaucoup développé à la patinoire municipale, qui devient son deuxième domicile chaque hiver. Jouer au parc et passer des heures à lancer, à patiner, à feinter et à se prendre pour Sidney Crosby n'a rien d'un sacrifice pour Félix. C'est un jeu. Pour lui, c'est le plus beau jeu du monde, même à moins trente degrés, même en solitaire. Et c'est aussi vrai l'été dans la rue avec une balle. Même à plus trente degrés, le hockey demeure encore et toujours le plus beau sport du monde.

Par contre, suer dans un gym est loin d'être un jeu. C'est une torture, un supplice. Même si on lui répète depuis sa première année bantam qu'il devrait améliorer sa force et sa masse musculaire, Félix n'en a jamais rien eu à cirer. Il n'y a rien d'agréable pour lui à passer des heures et des heures Chez Mario, le vétuste gym défraîchi, humide et désuet de Louiseville. Soulever des poids à répétition, c'est forçant, c'est ennuyant et pire encore, Félix ne voit pratiquement aucune amélioration. Avec des haltères, il n'est vraiment pas un naturel et ça le fatigue royalement. Alors, de son point de vue, ces entraînements constituent la plus grande perte de temps de l'histoire de l'humanité. Ils reviennent à s'imposer un calvaire inutile dans un endroit où ça pue la transpiration et où tout le monde a des muscles à exhiber, sauf lui.

Sur les conseils de Paul, le père de Carl, l'an passé, Line avait même amené Félix au Nautilus de Trois-Rivières en espérant le motiver dans ce centre d'entraînement très moderne. Quelle mauvaise idée ! Il n'y était allé qu'une seule fois. En arrivant là-bas, il était enthousiaste parce qu'il y avait beaucoup de belles filles qui accaparaient les tapis roulants. Son soudain goût de l'effort et du sacrifice s'était envolé en fumée dès qu'il était tombé face à face avec Cédrick Loiselle.

— Si c'est pas Riopel qui est sorti de son trou ! Qu'est-ce que tu fais ici ?

— T'es ben épais, Loiselle. Je viens souvent à Trois-Rivières. Ma mère m'a dropé ici pendant qu'elle magasine et elle va me reprendre dans deux heures. On vient à Trois-Rivières au moins deux ou trois fois par semaine. Louiseville, c'est juste à vingt minutes d'ici, pauvre taré.

— Ben non, avait lâché Loiselle en le regardant avec mépris. T'as rien compris ! Qu'est-ce que tu fais ici… dans un gym ? Qu'est-ce que ça te donne ? T'as pas de muscles… juste des os. T'as jamais pensé à lâcher le hockey pour devenir jockey ?

— C'est ça. Pis toi ? T'as jamais pensé à lâcher le hockey pour devenir disc-jockey ? Parce que, d'après moi, t'as pas mal plus d'avenir dans une discothèque que dans un aréna... à moins que tu sois disc-jockey pendant des tournois de hockey. Ils cherchent toujours un gars pour la musique au tournoi atome de Louiseville. Tu devrais te présenter pour l'emploi. C'est du bénévolat, mais ça te donnerait des crédits pour ton cours d'éthique et culture religieuse.

Il n'est pas surprenant que Félix n'ait jamais voulu retourner s'entraîner ailleurs que Chez Mario. À Louiseville, tout le monde l'aime et en plus, au gymnase, on ne le juge pas et on le respecte comme il est. Encore plus important, à Louiseville, il ne risque pas de tomber accidentellement sur le fendant à Loiselle, l'être qui empoisonne le plus son existence sur la planète entière... plus que Véronique même. En fait, il serait réellement injuste de comparer les deux individus. Véro est une « naturelle » pour le mettre hors de lui. Loiselle, il le déteste du plus profond de ses tripes et ça semble réciproque. Le seul point commun entre ses sentiments à l'égard de Loiselle et de sa jeune sœur, c'est qu'ils viennent du plus profond de lui-même dans un cas comme dans l'autre. Par un simple mot ou un petit regard, les deux ont la capacité de le déstabiliser et de le mettre hors de lui en une fraction de seconde.

À partir de maintenant, peu importe ce que Cédrick Loiselle peut penser de sa musculature, pour la première fois de sa carrière de joueur de hockey, Félix a le goût de souffrir et de suer dans un gym. Le mot «sacrifice» n'a jamais réellement fait partie de son vocabulaire. Du moins, pas de son vocabulaire de hockey. Non seulement a-t-il la ferme intention de demeurer en Abitibi, mais en plus, il ne veut pas laisser tomber son meilleur ami qui met les bouchées doubles. En fait, la détermination de Carl l'impressionne.

Chaque jour, depuis qu'ils ont scellé leur pacte sur le bord de la piscine, Félix et Carl se poussent mutuellement et s'encouragent, autant lorsqu'ils se rendent Chez Mario que lorsqu'ils partent courir ensemble. La plupart du temps, ils vont au gymnase au cours de la matinée, puis font de la course vers la fin de l'après-midi. Éreintés, les deux copains se reposent le soir afin de repartir la machine le lendemain. La motivation est au rendez-vous comme jamais auparavant. Pour les deux adolescents, les résultats sont de plus en plus probants, ce qui les incite à poursuivre le programme de conditionnement physique que les Huskies ont remis à Félix, la journée du repêchage, à Drummondville.

Le dimanche, c'est congé. Ils n'ont pas vraiment le choix de toute façon puisque le gym est fermé. Le mercredi, les deux amis s'accordent aussi une journée de repos, comme le prévoit l'horaire d'entraînement préparé par l'équipe junior pour le jeune espoir. S'il ne pleut pas, du golf est à l'horaire ces deux jours-là. D'ailleurs, Carl a déjà lu dans un livre qui parlait de l'enfance de Martin Brodeur que ce dernier est devenu un meilleur gardien de but parce qu'il jouait beaucoup au golf à l'adolescence. La pratique de ce sport l'aurait aidé à améliorer sa concentration. En plus, Carl et Félix ajoutent du vélo et du tennis à leur horaire déjà bien rempli.

À travers cette myriade d'activités physiques, il reste peu de temps à consacrer à deux choses très importantes dans la vie d'un adolescent : le travail et les amis. Et les deux vont de pair. Pas de travail, pas d'argent. Et sans argent, il devient impossible de suivre les copains dans leurs activités. Comme ils ont aussi choisi de bien s'alimenter, ils ne vont pratiquement plus casser la croûte avec les autres à La Patate du centre-ville, lieu de rassemblement de plusieurs ados. En plus, leur nouvel horaire ne leur permet plus tellement de sortir à La Brassette et de se coucher au milieu de la nuit ni de fréquenter les petits partys d'amis. Même l'incontournable rendez-vous du jeudi soir ne peut plus être au programme. Et ça, c'est la seule chose qui leur manque un peu.

Depuis l'été précédent, chaque jeudi, ils sont une vingtaine à se rejoindre vers vingt-deux heures sur la berge du fleuve Saint-Laurent. Le père de David Carufel possède un petit lopin de terre qu'il espère vendre à gros prix un jour. Pour le moment, son terrain fait partie d'un immense lot qui est zoné agricole et seule une mince portion près du fleuve est défrichée. L'endroit est retiré, tranquille, facile d'accès et les jeunes ne risquent pas de déranger qui que ce soit.

La tradition des partys du jeudi avait débuté alors que des jeunes s'étaient rassemblés pour célébrer la fin de l'école, sauf que tout le monde s'était tellement amusé qu'on avait convenu de se revoir à la même place, la semaine suivante. C'est ainsi que ce lieu était devenu l'endroit de prédilection de la gang, avec la bénédiction de monsieur Carufel. Le chic monsieur avait même installé personnellement deux tables de pique-nique pour les jeunes. Il n'y avait que quelques petites conditions à respecter. D'ailleurs, l'homme avait même rencontré le groupe pour s'assurer que son message passait bien.

— Écoutez, les jeunes, ça me fait franchement plaisir que vous veniez faire des feux ici le jeudi soir. Mais si ça ne marche pas à mon goût, vous allez être obligés de vous trouver une autre place pour vos petits partys. Je ne vous demande pas grand-chose. Je veux que vous restiez une petite gang. Ne commencez pas à amener d'autre monde ici pour que ça devienne un Woodstock chaque semaine. Tant que ce n'est que votre groupe, c'est correct. À part ça, je ne veux pas de drogue, pas de niaisage avec les chars, pis ramassez vos cochonneries. Je vous le dis, pis je suis sérieux : je trouve une canette par terre pis y aura plus de partys. Je parle de canettes parce que je suppose que David vous a fait le message, je ne veux pas de bouteilles. C'est tout. J'aime ben mieux savoir que vous êtes ici plutôt qu'ailleurs. Ah! Autre chose, je vous interdis de vous baigner.

Après ce sermon officiel, monsieur Carufel avait lui-même allumé le feu sous les applaudissements de la bande et il était parti en souriant sous le regard admiratif de son fils qui trouvait son père vraiment très cool.

Cet été-là, chaque jeudi où il faisait beau, Carl et Jean-Christophe Beaulieu avaient joyeusement gratté leur guitare près du feu. C'est lors de ces rassemblements hebdomadaires que Félix était tombé sous le charme de sa belle Emma. En réalité, il n'était pas le seul. À peu d'exceptions près, tous les gars de Louiseville étaient ensorcelés par la jolie Colombienne. Et lors de ces soirées magiques, lorsqu'elle chantait devant la lumière vacillante des flammes, elle était encore plus envoûtante. Sa voix chaude et puissante s'élevait au-dessus du son des guitares et des crépitements du feu pour se perdre en résonnant vers le fleuve à travers le clapotis des vagues. Emma chantait aussi bien en anglais qu'en français et en espagnol, ce qui la rendait encore plus séduisante auprès des jeunes Louisevillois.

Félix s'était bien gardé de laisser voir à quiconque qu'il bavait d'envie devant la ravissante chanteuse.

Comme il le faisait si bien au hockey devant un adversaire supérieur, il ne lui accordait aucune attention. Alors que tous changeaient d'attitude et devenaient un peu gagas en sa présence, Félix lui parlait à peine. Au mieux, il la saluait froidement, presque bêtement. En plus, c'était lui, la jeune star de Louiseville, alors il n'était pas question qu'il commence à faire des courbettes devant cette fille. Le personnage qu'il s'était forgé ne pouvait pas s'abaisser au niveau des autres gars de son âge. Félix Riopel, joueur de hockey, devait constamment assurer, et pour ce faire, il devait demeurer au-dessus de la mêlée.

Cette attitude désinvolte de « monsieur je me fous de tout et je vous envoie paître » avait charmé Emma. Il est tout de même étrange, l'attrait que l'inaccessible provoque chez les autres. C'est même elle qui avait dû faire les premiers pas. Félix, le gars le plus populaire du groupe, l'ami de tous, ne lui parlait pratiquement jamais. Tout aussi futée que lui, Emma avait préalablement sondé le terrain auprès de Carl. Dans un premier temps, il lui avait avoué que Félix lui avait déjà parlé d'elle et qu'il la trouvait tout simplement sublime. Puis, tel un agent double dans un mauvais film, tout excité, il s'était précipité vers son meilleur ami pour l'informer que la belle Colombienne s'était enquise des sentiments qu'il éprouvait pour elle.

En allant se révéler de la sorte à Carl, Emma savait très bien que son nouveau confident déballerait sans tarder le contenu de leur conversation à Félix. Selon son expérience, habituellement, une démarche semblable donnait rapidement des résultats concrets et le mec visé passait à l'action sans tarder. Pas cette fois-là. Le jeudi suivant, Félix ne l'avait même pas regardée chanter. Pire, il avait passé la soirée à jaser avec Josiane Gauthier. Dès lors, le joueur de hockey était devenu sa priorité. Pas question qu'il lui échappe. Quand Emma Cortez avait quelque chose en tête, il était impossible de la faire changer d'avis et elle n'avait maintenant qu'un seul objectif, faire de Félix Riopel son chum avant longtemps, quitte à modifier sa stratégie pour qu'il se retrouve sous son joug.

La séduisante adolescente devant qui tous les garçons fondaient et perdaient leurs moyens allait passer en mode actif pour la première fois de sa vie. D'habitude, c'était elle qui sélectionnait son amoureux parmi une horde de prétendants qui bégayaient, étouffés par la gêne. Cette fois, les rôles étaient inversés et ça ne lui déplaisait pas du tout. Même que ce rôle l'emballait plus qu'elle ne l'aurait cru.

Le jeudi suivant, Emma y était allée pour le coup de circuit, rien de moins. De son point de vue, il était clair que Félix Riopel tomberait dans ses griffes ce soir-là. Beauté naturelle, elle ne se maquillait pas en général. Mais cette fois, elle avait appliqué de la poudre sur les joues, du bleu sur les paupières et surtout un rouge écarlate sur ses lèvres pulpeuses et sensuelles. Elle portait un jean serré ainsi qu'une camisole presque trop petite qui se moulait à son corps. Ses longs cheveux noirs ordinairement attachés lui tombaient sur les épaules. Avant de quitter la maison, elle s'était regardée dans le miroir de sa chambre et elle s'était trouvée franchement sexy. Elle avait eu la certitude que le joueur de hockey ne pourrait pas lui résister. Pas ce soir-là.

Son plan de match avait toutefois été mis à l'épreuve dès son entrée sur le terrain des Carufel. Ayant calculé son arrivée pour se pointer au feu avec un peu de retard, elle s'était bien entendu attiré les compliments de tout le monde dès qu'elle était apparue devant le groupe. Tous l'admiraient sauf Félix qui avait à peine hoché la tête en la voyant, en guise de salutation. La tâche allait être plus ardue qu'elle ne l'avait imaginé…

Finalement, comme la situation n'évoluait absolument pas, Emma avait décidé de prendre le taureau par les cornes. Alors que le party tirait à sa fin, elle était allée s'asseoir sur le gros tronc d'arbre où Félix avait pris place en début de soirée, un peu en retrait du groupe.

— Ça ne te tentait pas de chanter à soir ? avait marmonné Félix en guise d'introduction.

— Bof… je file pas trop fort. J'aurais juste le goût de chanter des tounes tristes ces temps-ci. Ça t'arrive jamais, toi, d'avoir des genres de petits *downs* des fois, mais sans aucune raison ?

— J'en ai souvent, mais quand ça m'arrive, il y a une raison. Mais là, si j'ai bien compris, t'es triste pis tu sais pas pourquoi ?

— C'est ça, Félix ! C'est bizarre, je sais. D'ailleurs, y a ben du monde qui pense que je suis une fille bizarre. Toi ? Me trouves-tu bizarre ?

— Bizarre ? Non, pas une seconde. Je dirais par contre que tu es une fille plutôt intrigante.

— Moi, intrigante ! Dans quel sens ? avait demandé Emma en éclatant de rire.

— Dans le sens que tu es intrigante. C'est dur à expliquer. Ça fait, quoi, trois ou quatre ans qu'on se connaît ? Pourtant, je te connais pas du tout, avait répondu Félix en prenant un court moment de silence pour bien réfléchir à ce qu'il tentait d'expliquer. T'es intrigante parce que t'es colombienne, que tu chantes dans un groupe, que tu sèches souvent des cours à l'école, que t'as l'air aventurière, que t'as pas l'air d'avoir d'amies de filles et que t'es végétarienne. Ah… pis y a aussi le fait que tu te tiens avec des *fumeux* de pot… Y a même des gens qui prétendent que ton père était dans une espèce de mafia en Colombie et que c'est pour ça que vous vivez maintenant à Louiseville.

— Coudonc, on dirait que ça fait longtemps que tu m'examines, pour me lâcher tout ça en rafale. As-tu fait une enquête sur moi ?

— Pas du tout. Moi, je suis un joueur de hockey, pas un Sherlock Holmes ! C'était juste quelques évidences. Disons d'abord que t'es mystérieuse parce que t'es pas comme les autres filles que je connais.

— As-tu mon numéro de cell ? avait demandé Emma.

— Oui. Pourquoi ?

— *Good!* Moi aussi, j'ai le tien. Je te texte demain après souper vers dix-neuf heures pour te dire où on se rejoint pour jaser de tout ça, avait conclu Emma en se levant soudainement pour aller rejoindre son amie Charlie Bergeron, avec qui elle devait quitter le party.

— Attends un peu, là… j'ai peut-être quelque chose demain soir.

— Je pense pas que t'aies quelque chose de plus important, avait-elle rétorqué en le saluant d'un clin d'œil pour ensuite se retourner sans même lui laisser le temps de répondre quoi que ce soit.

Le lendemain, elle lui avait donné rendez-vous à vingt heures au centre-ville, près de la statue de Charles de Jay, sieur de Manereuil. Félix, né à Louiseville, ne savait même pas que ce vieux monsieur juché sur un piédestal et qui tenait fièrement un drapeau s'appelait ainsi.

Le soir venu, les deux adolescents avaient marché ensemble en discutant, sans jamais manquer de sujets de conversation. Leur balade les avait menés à la crèmerie, puis ils étaient allés manger des Blizzards en regardant quelques manches d'un match de baseball, dans les gradins du stade Alain-Lesage.

Ils avaient soudain tellement de choses à se raconter et à partager que vers vingt-deux heures, ils étaient allés se balancer tranquillement au parc des Papillons. Une heure plus tard, en quittant l'endroit, Félix avait fait le premier geste en donnant la main à la belle Colombienne pour la raccompagner chez ses parents. Sans avertissement, un orage avait éclaté. Emma avait alors entraîné le joueur de hockey sous le pont de la 138, qui enjambe la Grande rivière du Loup. Félix s'était douté que ce n'était pas la première fois qu'elle se réfugiait à cet endroit, car Emma avait la réputation d'être plutôt frivole. Mais dès que ses lèvres charnues s'étaient posées sur les siennes, les préjugés du garçon s'étaient envolés instantanément.

Lorsqu'il l'avait laissée chez elle, Emma lui avait demandé s'ils se reverraient le lendemain. À peine lui avait-il répondu par l'affirmative qu'elle l'avait empoigné à nouveau par le collet pour l'embrasser avec passion en lui susurrant une dernière question à l'oreille avant de rentrer: « Si on se revoit demain, dans le fond, c'est qu'on sort ensemble maintenant? »

Désarçonné par sa question, Félix avait fait un petit pas en arrière, avait souri et s'était contenté de la regarder dans les yeux en lui rendant son petit clin d'œil coquin de la veille, puis il avait tourné les talons sans rien ajouter.

Une fois dans sa chambre, le cœur léger, incapable de trouver le sommeil malgré l'heure tardive, il avait décidé de consulter ses courriels sur Facebook. En accédant à son compte, il n'avait trouvé qu'un seul nouveau message : son amie Emma Cortez lui demandait de confirmer qu'ils étaient un couple. Surtout, pas question d'accepter tout de suite ! Mais ce devait être la première chose qu'il ferait le lendemain à son réveil.

Depuis ce jour, Félix et Emma ne se sont pratiquement jamais quittés. Même s'ils se connaissaient déjà depuis un certain temps, leur rencontre fut comme un formidable coup de foudre. Complètement sous le charme, le jeune Louisevillois venait de découvrir pour la première fois de sa vie qu'il y avait des choses tout aussi intéressantes que le hockey.

Rater les rassemblements du jeudi soir près du feu, en bordure du fleuve, est un passage obligé. Le matin où Carl et Félix ont décidé de faire équipe afin de s'entraîner à fond la caisse, ils savaient tous les deux que le chemin pouvant les mener à leur objectif respectif allait comporter son lot de sacrifices. Le désir de se surpasser et de déjouer les pronostics est devenu tellement puissant que plus rien d'autre n'a d'importance à leurs yeux. Leurs buts ultimes sont différents, mais en même temps, ils sont identiques et, pour y parvenir, ils ne renoncent à aucun effort… même qu'ils prennent plaisir à souffrir en songeant à la récompense qui pourrait les attendre, à la toute fin de l'été.

Il reste qu'intérieurement, Félix nourrit encore des doutes sur ses réelles intentions. Autant le défi de monter dans la LHJMQ à seulement seize ans l'emballe, autant l'idée de laisser sa mère et sa sœur toutes seules l'effraie au plus haut point. Il y a aussi le fait que sa relation avec Emma n'est plus ce qu'elle était à ses débuts. La situation s'est passablement détériorée depuis qu'il a conclu ce pacte avec Carl. La belle Colombienne se sent délaissée et, en plus, elle n'est pas excitée du tout à l'idée de voir son amoureux partir en Abitibi, dans ce coin reculé du Québec qui, selon elle, est presque situé aux limites du pôle Nord.

Pour compliquer les choses, sa mère et sa dulcinée sont désormais à couteaux tirés. Tellement qu'Emma n'a pas mis les pieds chez lui depuis quelques semaines déjà.

Encouragée et impressionnée par les efforts de son fils, Line comprend qu'il est plus motivé qu'avant à l'idée de partir pour Rouyn-Noranda, mais elle sent que la belle Emma voit le tapis lui glisser sous les pieds. La jeune veuve n'a jamais vraiment été en admiration devant la ténébreuse petite amie de Félix, et c'est d'ailleurs un sujet délicat qu'il vaut mieux éviter. Line pense que si son garçon hésite autant à faire ses bagages pour l'Abitibi, c'est parce qu'Emma tire les ficelles pour le garder près d'elle, à Louiseville. Au début de l'été, elle s'était permis une allusion à ce propos devant les deux tourtereaux et la discussion avait vite tourné au vinaigre. Pris entre deux feux, Félix n'avait même pas tenté de jouer les pacificateurs et la scène s'était terminée sur une fausse note. Emma avait claqué la porte en criant:

— Et tu sauras, Line, que je suis pas une *drama queen*! Si tu veux me voir, Félix, tu sais où je reste.

— Bravo, mom. Voilà que ma blonde est fâchée, avait soupiré Félix en se penchant pour enfiler ses espadrilles afin d'aller rejoindre Emma.

— Je suis désolée, Félix, mais y a des limites. Si elle t'aime autant qu'elle le dit, elle devrait être fière pour toi et accepter que tu partes jouer avec les Huskies à la fin de l'été. Je trouve que c'est de l'amour égoïste et toi, tu ne dis jamais rien. C'est elle qui décide tout. On dirait qu'à cause d'elle, t'as même plus envie d'aller à Rouyn.

— Ben non, mom! C'est pas ça pis tu le sais. À part ça, je suis capable de décider par moi-même ce que je veux faire dans la vie.

— En plus, je n'ai rien dit de déplacé, avait renchéri Line. Je lui ai seulement expliqué poliment qu'elle devait te laisser la chance de vivre tes rêves. Je suis toujours obligée de peser chacun de mes mots, sinon elle fait du boudin. Je commence à être pas mal fatiguée de son comportement et de son attitude égocentrique.

— Une chance que t'as pesé tes mots! Tu l'as traitée de *drama queen*! C'est pas fort, ça.

— De toute façon, peu importe ce que je dis et comment je le dis, il faut toujours qu'elle ait raison. Et puis en passant, avec sa petite colère, elle m'a prouvé que je n'avais pas tort de dire ça.

— Ben oui… Bye. Je vais la rejoindre parce que là, elle doit pleurer, avait déclaré Félix dans l'embrasure de la porte.

— Parfait. Et je gage que tu ne reviendras pas coucher ici ce soir? avait sèchement jeté Line, un peu frustrée.

— Non, je pense pas. Je vais sûrement coucher chez Emma.

— C'est ce que je te disais. Quand ça ne marche pas à son goût, elle boude, et chaque fois, elle gagne.

— C'est ça… pense donc ce que tu veux, mom, avait lâché Félix en claquant la porte.

Ce soir-là, Félix était passé à un cheveu de donner raison à Line et de laisser filer Emma toute seule. Pas pour la larguer ou pour lui prouver quoi que ce soit, mais plutôt pour saisir l'occasion de s'asseoir avec sa mère. Il n'en avait pas eu le courage. Il aurait souhaité être capable de trouver les bons mots pour lui expliquer, sans la blesser, que c'était principalement pour elle et Véro qu'il aurait préféré rester à Louiseville, au moins encore une autre année.

Mais comment trouver le courage de discuter dans un contexte semblable? Comment livrer le fond de sa pensée en évitant que sa pauvre mère se sente coupable? Comment lui lancer la vérité en pleine face sans l'enrober de dentelles? Comment serait-il possible qu'elle n'éclate pas en sanglots quand elle comprendrait qu'elle faisait fausse route, qu'elle jugeait Emma gratuitement et que, dans le fond, c'était à cause d'elle-même que son fils n'était pas excité à l'idée de partir de Louiseville?

Félix savait bien que Line l'aimait profondément et qu'elle désirait tout ce qu'il y a de mieux pour lui. Alors, analysant rapidement la situation sur le seuil de la porte, il avait compris qu'il n'y avait qu'une chose de claire: il voulait ménager sa mère. Il était préférable qu'il se taise au risque d'attrister la personne qu'il aimait le plus au monde sans même être certain que cela favoriserait une réconciliation avec Emma.

Face à un dilemme comme celui devant lequel il s'était trouvé, Félix raisonne toujours de la même manière. Intérieurement, il songe à la façon dont son père aurait pu régler ce genre d'imbroglio et souvent, il arrive à valider ses propres idées. Dans ce cas-là, son père lui aurait probablement suggéré de se taire et de s'en aller.

Pendant que Félix fait des pieds et des mains pour tenter de gérer une situation qui se dégrade de jour en jour entre sa mère et Emma, Carl ne cherche pas à maquiller la vérité. Il n'a pas besoin de camoufler ses émotions. Contrairement à son meilleur ami, il n'a surtout pas envie de ménager sa mère. De toute façon, depuis la fameuse soirée où il a découvert le pot aux roses, il ne la voit que sporadiquement.

Plutôt que de sombrer dans la honte après que son propre fils l'eut prise en flagrant délit, Sonia Grenier a décidé de s'assumer pleinement et de tourner la page sur son ancienne vie. Deux jours seulement après l'épisode tragique, elle ramassait déjà ses effets personnels à la résidence familiale. Assommé, Paul s'était réfugié à Saint-Michel-des-Saints, au chalet de ses parents, pour faire de la motoneige en solitaire, mais Carl savait pertinemment que s'il était parti seul dans le bois, c'était pour noyer sa peine avec quelques bouteilles de Jack Daniel's. Quand il est heureux, triste ou fâché, Paul a la mauvaise manie de partager ses émotions avec l'alcool. Son ex (puisqu'il faut maintenant l'appeler ainsi) avait toujours détesté cette façon de se comporter.

En vidant ses tiroirs, Sonia avait avoué à son fils que Mike et elle se fréquentaient déjà en cachette depuis plusieurs mois. D'ailleurs, presque un an auparavant, après un match de séries, sans le savoir, Carl avait même failli les surprendre à s'embrasser passionnément près de la voiture de Bélair, dans le fond du stationnement de l'aréna Jean-Guy-Talbot, à Trois-Rivières.

« *Too much information* », s'était-il contenté de répondre à sa mère qui lui racontait cette anecdote sans aucune pudeur, comme si tout avouer de sa vie secrète lui ôtait un lourd fardeau des épaules.

En aidant silencieusement sa mère à empiler les boîtes dans la voiture, Carl se demandait comment elle avait pu mener cette double vie. Comment, aujourd'hui, pouvait-elle chanter et avoir le cœur joyeux devant son propre fils ? Pourquoi semblait-elle n'avoir aucun remords de ce qu'elle leur avait fait, à lui et à son père ? On aurait dit qu'elle était soudainement soulagée de reprendre le contrôle de sa destinée après avoir vécu les derniers mois de son existence dans l'hypocrisie, la manipulation et le mensonge. Carl avait l'impression de se retrouver plongé au cœur d'un mauvais film d'espionnage mettant en vedette sa mère et « monsieur Remax ».

« Beurk ! Est-ce qu'elle cache beaucoup d'autres secrets ? » s'était-il demandé.

En la regardant faire le tour de la maison pour vérifier si elle n'oubliait rien, il avait revu le fil des événements de la dernière année et il ne pouvait s'empêcher de faire des associations entre les fréquentes absences de sa mère et cette longue relation secrète avec Mike Bélair.

— Salut, mon grand ! On se revoit sous peu, avait dit Sonia en s'approchant de Carl pour le serrer dans ses bras et l'embrasser avant de partir s'installer chez son nouvel amoureux.

— Appelle-moi pas « mon grand ». D'ailleurs, appelle-moi pas du tout pis ça va être ben correct de même.

— Voyons ! T'es ben bête !

— J'suis ben bête ? Ah oui, c'est sûrement moi, le problème ! avait crié Carl. Voudrais-tu que j'aille gonfler des ballounes pis que je fasse une belle petite banderole avec les mots « Félicitations, maman, pour ta nouvelle vie avec Mike Bélair ! » et que je l'installe au-dessus de la porte ?

— Carl… Je ne te demande pas de comprendre ce que je vis, mais au moins, essaie de respecter ma décision, avait déclaré Sonia en tentant une seconde fois de le serrer contre elle.

— Je comprends pas mal plus que tu penses, avait répliqué Carl en réprimant ses larmes avec difficulté et en reculant d'un pas. Je me demande comment tu peux me parler de respect aujourd'hui ? Tu te vois pas aller, mom !

Jamais un aussi grand malaise ne s'était installé entre Sonia et son fils. Le sourire habituellement contagieux de la charmante grande rousse avait disparu. C'était à son tour de refouler sa peine. Elle avait regardé Carl retraiter vers le salon et aurait aimé le suivre pour lui expliquer que rien n'allait plus depuis longtemps avec Paul, mais elle avait compris qu'il était inutile de le faire à ce moment-là. Jamais son enfant chéri ne lui avait parlé sur ce ton dans le passé. Elle s'était sentie jugée par son propre garçon et ce sentiment désagréable l'avait désarçonnée complètement. Si son propre fils la repoussait ainsi, qu'allaient dire les autres ? De toute sa vie, jamais elle ne s'était sentie si vulnérable. Ses jambes s'étaient mises à trembler, une bouffée de chaleur l'avait envahie d'un coup sec et elle avait éclaté en sanglots. Incapable de dire quoi que ce soit, elle s'était accroupie contre la porte d'entrée en se prenant la tête à deux mains et en espérant intérieurement que son fils unique viendrait la consoler.

— T'es pathétique… crisse ! Mike Bélair ! Ça a juste pas de sens, avait hurlé Carl, à son tour impuissant à contenir sa rage et sa peine plus longtemps. Tu défais notre famille pour un gros cave pis tu me demandes de respecter tes choix. C'est pas de mes maudites affaires, ce qui se passe entre toi et papa, mais demande-moi jamais de triper sur Mike Bélair ou sur tes autres chums. Pis raconte-moi pus tes histoires, je m'en fous tellement. J'en reviens juste pas d'avoir accepté de rester ici pour t'aider au lieu d'aller avec papa au lac Taureau. Sacrement, mom ! Mike Bélair !

Terrassée, Sonia avait regardé Carl s'en aller sans broncher. Comme il avait accepté de lui donner un coup de main au cours du week-end, elle avait innocemment imaginé qu'il s'était rangé de son côté et qu'il comprenait, malgré son jeune âge, que sa mère avait le droit d'être heureuse et épanouie, à l'aube de la quarantaine. À six pieds, un pouce, son fils avait déjà l'air d'un homme, mais elle avait omis de considérer que c'était encore un adolescent fragile d'à peine seize ans qui vivait dans ce corps élancé. À l'exception de la soirée où elle s'était fait prendre avec Mike et de ses récentes confessions, elle ne regrettait rien et elle referait la même chose… Du coup, elle avait réalisé que le prix à payer pourrait être plus élevé qu'elle ne l'avait anticipé. Serait-il possible pour elle de rebâtir sa relation avec son fils ? Elle en doutait. Dans les circonstances, la meilleure chose à faire était de laisser retomber la poussière. Et de la poussière, elle en avait brassé abondamment.

Carl et Félix n'ont jamais passé autant de temps ensemble. Compagnons d'entraînement, les deux jeunes se retrouvent presque toujours réunis en dehors du gym. Ils ont continuellement l'impression de ramer à contre-courant, car leurs horaires ne coïncident pas avec ceux de leurs amis, leur mode de vie discipliné ne cadre pas plus avec celui du groupe et leur vie de famille s'effrite. Malgré tout, ils gardent le cap sans déroger à leur plan de match. Leurs efforts vont au-delà de leurs buts respectifs. Ils veulent désormais faire mentir tous ceux qui se moquent d'eux en disant qu'ils gaspillent leur été et déjouer les pronostics.

De plus, les présences au gym, la course et le vélo sont devenus des exutoires salutaires pour les deux adolescents qui fuient tous deux leurs mères. Quand ils suent à grosses gouttes, qu'ils se vident les poumons ou qu'ils pompent du métal, ils repoussent leurs limites personnelles. Leur cerveau fait alors le vide et les idées noires s'évaporent lentement. Même s'ils restent conscients que tous leurs efforts demeureront peut-être vains, un grand sentiment de satisfaction les accompagne.

Depuis le début du mois d'août, ils s'entraînent aussi dans le garage chez Carl. Impressionné par tous les efforts de son fils, Paul pense que le jeune lorgne le midget AA. Comme son père traverse une période difficile, il y a quelque temps, Carl lui a déballé toute son histoire en se disant que ça l'encouragerait de savoir que son garçon ne jouerait jamais sous les ordres de Mike Bélair. Les yeux pleins d'eau, sans poser une seule question, Paul l'avait également écouté raconter les problèmes de Félix.

Quand Carl s'était tu, Paul s'était levé lentement pour aller vers le réfrigérateur. Il avait débouché une bière qu'il avait calée presque d'un coup. Après avoir déposé la bouteille vide près de l'évier de la cuisine, il s'était dirigé vers son fils et l'avait serré dans ses bras dans une longue étreinte. Gros gaillard de deux cent cinquante livres, Paul avait bien failli étouffer Carl tellement il l'avait empoigné fermement. Emporté par les émotions, le costaud qui travaille pour Hydro-Québec et qui besogne fort à longueur de journée avait oublié à quel point il était une force de la nature… comparé à son grand mais chétif héritier. Incapable de trouver les mots justes, cette marque d'affection représentait pour lui tout ce qu'il aurait souhaité exprimer à Carl, mais qu'il était impuissant à verbaliser.

Après cette accolade, Paul avait demandé à Carl de l'accompagner dans le garage.

— T'as beau travailler fort et t'entraîner avec Félix, reste que t'as vraiment pas une grosse *shot* pour un défenseur. En plus, t'es pas capable de faire des *one-timers*, et ça aussi c'est important à la défense. Mon *pick-up* ne dormira plus dans le garage et, avec la place que ta mère prenait et qui est maintenant libre, ça va vous donner de l'espace pour faire des lancers. Je vais aller me chercher une bière et ensuite je vais ôter toutes les gogosses qui traînent dans le garage ; après tu pourras faire tes *slaps* en *shootant* sur la corde de bois. Reste ici, tu vas m'aider. On va commencer par changer la souffleuse de place. Quand tout sera bien rangé, tu pourras inviter notre p'tit Riopel.

Ainsi, depuis ce samedi après-midi, beau temps, mauvais temps, Carl et Félix lancent au moins trois cents rondelles par jour, en écoutant les Cowboys Fringants, Pitbull ou David Guetta. Parfois, ils mettent du AC/DC ou du Metallica. Il n'y a rien de logique dans leurs sélections musicales. Carl gratte la guitare à merveille, il adore ce qui se fait de bon au Québec et Jack Johnson est son chanteur préféré, tandis que Félix aime tout ce qui a du rythme pour s'entraîner. Quand ils commencent à avoir mal aux avant-bras ou aux poignets, ils descendent dans le sous-sol pour se relaxer en jouant au hockey sur la console Xbox de Carl.

Le hockey a toujours représenté une partie importante de leur vie, mais jamais autant que cet été-là. Depuis quelques semaines, même s'ils n'ont pas chaussé les patins, c'est devenu une obsession, comme si plus rien d'autre ne comptait pour eux.

6
Direction Rouyn-Noranda

Il pleut sans cesse depuis trois jours sur le centre du Québec.

On est déjà à la mi-août. Carl et Félix se sont accordé une semaine de congé avant le début de leur aventure. L'étape qui s'en vient sera éprouvante, autant physiquement que mentalement, et le programme d'entraînement des Huskies prévoit un repos complet afin de bien récupérer avant d'entreprendre l'épuisant camp de sélection.

Difficile de dire si c'est à cause du temps maussade ou du stress lié au grand départ qui approche de plus en plus, mais l'ambiance est plutôt malsaine chez les Riopel. Line et Emma ne se sont pas adressé la parole depuis bientôt trois semaines. Félix a choisi de ne pas jouer le rôle de médiateur entre sa mère et sa bien-aimée. Même sa jeune sœur Véronique garde pour elle ses commentaires acerbes, de crainte de jeter de l'huile sur le feu. Habituellement cinglante dans ses propos, toujours habile à trouver le mot ou la phrase qui fera sortir Félix de ses gonds, elle semble maintenant compatir avec son frère. Sans aller jusqu'à le prendre en pitié, elle trouve néanmoins regrettable qu'il ne paraisse pas plus enthousiaste à l'idée de relever un défi aussi exaltant. De toute façon, il est tellement dans sa bulle que même ses dernières répliques exécrables n'ont pas ébranlé son frangin. Habituellement si facile à déstabiliser, Félix ne semble plus l'entendre quand elle lui balance des insanités pour le provoquer. Au mieux, il hausse les épaules et la regarde sans dire un mot, comme si elle n'était qu'une pauvre tarée insignifiante. Félix est déjà en brouille avec sa mère et avec son amoureuse, les petites railleries de sa sœur ne l'atteignent aucunement.

D'ailleurs, Emma et lui ne se sont pas parlé depuis deux jours. Ce n'est pourtant pas sa faute s'il a plu jeudi soir et qu'il n'y a pas eu de feu sur le bord du fleuve. En revanche, il aurait dû se douter que sa dulcinée serait à prendre avec des pincettes. Elle attendait ce rendez-vous depuis longtemps puisqu'il avait loupé tous les partys, à l'exception de celui du soir de la Saint-Jean-Baptiste. Le moment était donc plutôt mal choisi, jeudi soir, pour lui expliquer qu'il préférait qu'elle ne le suive pas à Rouyn pour assister au camp d'entraînement comme elle prévoyait le faire. D'ailleurs, elle avait harcelé ses parents avec cette demande, mais ils n'étaient pas encore d'accord avec l'idée. Félix avait également avisé sa mère qu'il ne voulait pas la voir en Abitibi. Il avait pris la décision de partir seul, en autobus ou en train. Pas de mère. Pas de blonde. Pas de distractions inutiles.

Il trouve la situation un peu injuste pour Line, sachant qu'elle rêve d'assister à cet événement important. Malgré tout, il se dit qu'il est préférable qu'elle économise son argent et qu'elle conserve ses rares journées de vacances pour des activités plus agréables qu'une semaine de hockey à sept cents kilomètres de Louiseville. Et si sa mère y allait, comment pourrait-il expliquer à Emma qu'elle ne puisse pas se joindre à eux ? Une fois sur place, non seulement aurait-il à gérer la présence des deux femmes, mais il devrait aussi survivre à l'exubérance de sa bien-aimée qui le placerait sûrement dans l'embarras à maintes reprises. Il imagine déjà le scénario incommodant et inévitable d'Emma qui se jette dans ses bras après une partie en criant haut et fort devant tout le monde, dans le minuscule portique du vieil aréna Dave-Keon :

« Ah mon amour, quel match fantastique t'as joué ! T'es le meilleur, Félix ! T'as tellement été impressionnant ! Je t'aime ! »

Comme il serait impossible de la repousser doucement en lui expliquant qu'elle ne peut pas faire ça sans provoquer une légère crise d'hystérie, il rougirait donc de honte tandis qu'elle continuerait de le féliciter de la sorte en le bécotant dans le cou, sans se soucier de ce que pourraient penser les autres joueurs, les parents, les agents, les journalistes et surtout l'entraîneur-chef Richard Caisse.

Partir pour Rouyn-Noranda en solitaire s'avère être sa deuxième meilleure idée de l'été. Sa première idée de génie a été le pacte qu'il a conclu avec Carl. N'eût été cette entente, il ne se serait pas entraîné aussi sérieusement et aujourd'hui, il ne serait pas résolu à se tailler une place au sein de la LHJMQ. À seize ans, cent cinquante livres – trois de plus qu'au début de l'été –, quand il songe à sa décision de partir seul, il se dit que son père approuverait cette idée s'il pouvait communiquer avec lui. De là-haut, André Riopel doit vraiment être fier.

Même Carl a concocté un plan pour le faire changer d'avis afin qu'il ne parte pas seul en autobus. Il y a trois ans, son père et lui avaient passé quatre jours inoubliables à taquiner la truite dans une pourvoirie située pas trop loin de l'Abitibi, dans le parc de La Vérendrye. Lorsque Carl a proposé à son paternel de combiner un petit voyage de pêche avec deux ou trois jours au camp d'entraînement des Huskies, Paul a bien entendu accepté sans hésitation. L'idée était géniale, mais Félix n'a quand même rien voulu savoir.

— T'es un vrai beau raisin, mon Félix. Mon père aurait tellement aimé que tu acceptes notre offre. En plus, ça lui aurait changé les idées.

— Quoi ? Je pensais qu'il allait mieux depuis qu'il avait rencontré sa belle Vicky.

— Ben oui, il va beaucoup mieux. Je te dirais même qu'il semble complètement avoir oublié que ma mère est passée dans sa vie.

— Ayoye ! Ça serait cool si ma mère pouvait faire la même chose. Je pense qu'elle n'a même pas regardé un gars depuis que mon père est mort. Elle est encore accrochée à lui et elle vit dans le passé.

— C'est pas pareil. Ta mère a encore de la peine parce qu'elle aimait ton père pis qu'elle a de beaux souvenirs. Moi, ma mère a joué dans le dos de mon père pendant des mois. Ah pis, veux-tu me sacrer la paix avec mon père ? C'est pas de lui qu'on parle. Sérieux, penses-y, ton idée de partir tout seul en autobus, c'est pas ce qu'il y a de plus intelligent.

— *Anyway*, Carl, je pars dans deux jours et tout est arrangé. Ma mère va me déposer au terminus de Montréal parce qu'elle a peur que je me mêle dans les correspondances si je pars de Trois-Rivières.

— Pis ta blonde ?

— Sais pas.

— Tu sais pas quoi ?

— Je sais pas. On s'est pas parlé depuis jeudi. Elle est en maudit et elle boude. Avec l'orage, c'était certain qu'y aurait pas de feu sur le terrain à Carufel et elle a décidé qu'on sortirait en ville, à Trois-Rivières. Mais c'était compliqué pis on avait pas de lift, alors je lui ai dit que ça me tentait pas. Là, elle s'est mise à rouspéter. Et ensuite, quand je lui ai expliqué qu'elle viendrait pas à Rouyn… Elle a comme pété les plombs.

— Ouais… ça va bien!

— C'est toujours elle qui décide tout et là, elle a rien choisi de l'été. L'affaire, surtout, c'est qu'elle est en sacrement parce qu'elle voulait vraiment venir à Rouyn au camp des Huskies pis elle est certaine que c'est ma mère qui m'a convaincu de pas la laisser venir.

— Ben, moi aussi je vais me mettre à bouder dans ce cas-là. Sérieux, ça serait cool au boutte qu'on y aille, mon père et moi. Pas juste pour toi, mais aussi pour voir Matejovsky de proche. Te rends-tu compte que tu vas être au même camp que Pavel Matejovsky?

— Ben oui, ben oui, le choix de première ronde des Capitals, l'année passée! Cool, hein? Mais oublie ça, ça donne rien d'insister, Carl. De toute façon, j'ai déjà envoyé un courriel au directeur général Dany Lafrenière pour lui dire que j'arriverais mardi soir en autobus, à dix-sept heures trente.

— Est-ce qu'il t'a répondu?

— Mets-en, qu'il m'a répondu! Imagine-toi qu'il m'a téléphoné en personne dès qu'il a reçu mon courriel. Il voulait savoir s'il y avait un problème et quand je lui ai expliqué que je voulais y aller seul pour pas être dérangé, il a capoté. Il va venir me chercher en personne au terminus et avant de raccrocher, il m'a dit qu'il aimait déjà mon attitude. Là, c'est certain qu'il va en parler à Richard Caisse pis que lui aussi va trouver ça *hot*!

— T'analyses trop. Caisse s'en sacre ben raide que tu viennes tout seul en autobus, en avion avec ta mère ou même en Hummer avec Cédrick Loiselle pis son père. Voyons donc, Félix! Tu dis n'importe quoi!

— Peut-être que je dis n'importe quoi pour Richard Caisse, mais monsieur Lafrenière était vraiment épaté. Donc, c'est certain que je pars tout seul en autobus.

Félix a vu juste. Sa décision de se rendre seul au camp a grandement impressionné Dany Lafrenière et, comme prévu, le directeur général l'attend en personne au terminus d'autobus Maheux.

La seule autre fois où il l'a vu, c'est lors de la journée du repêchage et le grand patron de l'équipe était tiré à quatre épingles. Il inspirait le respect et l'autorité. Aux yeux de Félix, monsieur Lafrenière représente le pouvoir suprême, à l'image du parrain dans les films et les livres sur la mafia italienne.

C'est lui, le chef qui a droit de vie ou de mort sur Richard Caisse. Il est possiblement le seul homme dans toute l'Abitibi et peut-être même dans le Québec entier à pouvoir dire à Richard Caisse de se fermer la gueule sans risquer de recevoir une taloche en plein visage. S'il y en a un à mettre dans sa manche, c'est bien lui.

À l'aube de la cinquantaine, monsieur Lafrenière semble avoir gagné une dizaine d'années depuis la journée du repêchage, deux mois plus tôt. Les cheveux dépeignés, la barbe longue, les traits tirés et vêtu d'un simple jean et d'un t-shirt des Huskies, il a perdu, aux yeux de Félix, toute sa prestance. Constamment en train de visualiser ce qui s'en vient pour lui, le jeune joueur de hockey avait plutôt imaginé que le patron se pointerait au terminus habillé en homme d'affaires prospère, assisté d'un préposé à l'équipement qui embarquerait ses bagages dans un immense Suburban noir aux vitres teintées. Pourtant, il n'y a pas d'assistant et encore moins de camion luxueux.

— Bienvenue à Rouyn-Noranda, Félix. J'espère que ton voyage s'est bien déroulé, lance Lafrenière tout en serrant fermement de sa grosse main celle du jeune espoir de seize ans.

— Oui. Très bien. Merci, monsieur Lafrenière. J'ai hâte que ça commence.

— Donne-moi tes bâtons et ta valise. Prends ta poche d'équipement et suis-moi. La fourgonnette des Huskies est dans le stationnement du dépanneur d'à côté, c'est un de nos commanditaires!

— Va falloir faire deux voyages ou approcher la fourgonnette parce que j'ai aussi ces trois valises-là, ajoute Félix en montrant trois autres gros sacs du doigt.

— Ben voyons donc! T'as ben du stock, le *kid*? J'ai jamais vu ça de ma vie, s'exclame le directeur général en déposant ce qu'il vient de prendre.

— Comment ça, vous avez jamais vu ça, monsieur Lafrenière? Je passerai pas dix mois à Rouyn-Noranda avec trois ou quatre paires de bobettes. J'ai mes affaires de hockey, des vêtements de sport, des habits propres pour les *games*, des vêtements d'été, des vêtements d'hiver, du linge d'école, ma Xbox pis mon portable.

— C'est parce que d'habitude les gars apportent du linge pour une semaine!

— Mais moi, je vais rester plus qu'une semaine, alors aussi bien faire un seul voyage, conclut Félix en se disant intérieurement qu'il vient encore de marquer un point.

En route vers la pension, Dany Lafrenière raconte à Félix que si sa mémoire est fidèle, il n'est que le deuxième jeune de seize ans à arriver tout seul en autobus en Abitibi. Le seul autre dont il se souvient, c'est Maxime Talbot, en 2000. Félix ne savait pas que cette vedette de la LNH avait porté les couleurs des Huskies avant de se faire connaître et de devenir populaire à Gatineau, avec les Olympiques. La conversation ne dure pas longtemps, car le trajet est très bref.

— Nous voici rendus à ta pension. Je vais entrer avec toi pour te présenter monsieur et madame Casault, mais je resterai que trente secondes. Faut que je passe par la maison afin de prendre une douche et de m'habiller propre pour l'accueil des joueurs et des parents tantôt. Tu seras très bien ici pour le début du camp et si jamais tu venais à causer une grosse surprise et à faire l'équipe, on verra si tu es bien ou pas ici, avec eux.

— Je débarque tout mon stock ici ?

— Laisse tes affaires de hockey dans la fourgonnette et viens me voir dans le bureau en arrivant à l'aréna. Je te donnerai les clés pour que tu rentres ton équipement.

— Pas de problème, monsieur Lafrenière. Il est où, votre bureau, dans l'aréna ?

— Tu vas voir, dans le hall d'entrée, y a un escalier qui donne sur la patinoire. Ici, la glace est au deuxième étage et tu vas trouver le bureau du coach en haut des marches. Je serai là. Toi, faut que tu sois à l'aréna à dix-huit heures trente au plus tard, car on rencontre les joueurs à dix-neuf heures. T'auras pas le temps de niaiser ici trop longtemps, surtout que madame Casault a de la jasette en maudit !

Le directeur général continue de parler en montant les marches pour aller rencontrer Ginette Casault, mais Félix ne l'écoute plus. Le patron vient tout juste de lui dire « si jamais tu venais à causer une grosse surprise »... Aussi bien lui dire tout de suite qu'il ne figure aucunement dans les plans de l'équipe. Maintenant, il comprend pourquoi monsieur Lafrenière lui a jeté un regard aussi étrange en voyant tous ses bagages.

— Bienvenue à l'aréna Iamgold, lance presque en criant Richard Caisse après le succinct laïus de bienvenue de Dany Lafrenière. Vous êtes seulement quarante-deux ici. On fera pas dans la dentelle. À Rouyn, on invite pas des joueurs pour le fun d'inviter des joueurs. Si vous êtes ici, c'est que vous avez une vraie chance de jouer pour les Huskies. Y a pas de frime à Rouyn. Y a les *vets* de l'an passé, une couple de nouveaux acquis avec les échanges de Dany cet été, quelques gars en *try-out* pis des jeunes espoirs avec trois ou quatre poils au menton. Demain matin, ce sera pour vous le début d'un long marathon. Demain matin, ce sera pas le début du camp. Demain matin, ce sera le début de notre préparation pour remporter la Coupe Memorial, en juin prochain, à Kitchener. Si vous vous êtes préparés pour venir ici et souffrir cinq ou six jours, le temps qu'on forme le club, partez tout de suite, car ceux qui vont rester avec les Huskies vont souffrir toute l'année.

Il fait une pause. Un silence parfait envahit la place, puis il poursuit, le torse bombé et les poings fermés, en balayant le groupe du regard très lentement afin de fixer chaque joueur au moins une fois directement dans les yeux:

— Vous connaissez sûrement mon adjoint Pascal Milette, il est le coach des joueurs d'avant et il s'occupe des unités spéciales avec moi. Il va maintenant vous expliquer l'horaire et les règlements du camp. Si vous avez des questions, c'est à lui que vous vous adressez. Si y a quelque chose qui marche pas, c'est lui que vous allez voir. Au pire, y a aussi Dany qui peut vous aider, pis Sébastien et Éric, mes deux autres adjoints. Moi, venez jamais me parler. Si je vous adresse la parole, ça veut dire que j'ai envie de jaser avec vous. Si je vous parle pas, sacrez-moi la paix. Vos histoires pis vos problèmes, j'en ai rien à foutre. C'est pas une garderie icitte pis je me sacre de vos états d'âme, de vos sentiments, de vos problèmes à l'école, de votre blonde, de votre mère, de votre pension. Pis les nouveaux, avertissez vos agents que je veux pas les voir rôder autour de mon bureau. Qu'ils pensent même pas à me contacter par courriel, par fax ou par Purolator, je veux rien savoir d'eux autres. Ah oui… je vous souhaite pas bonne chance, car le facteur chance existe pas avec les Huskies. Y a juste trois affaires qui comptent pour moi : le travail, le travail pis encore le travail. Je suis un maudit bon gars et je peux pardonner l'erreur si t'essayes. Si tu te traînes les bottines, tu vas regretter de m'avoir connu. C'est tout… non, c'est pas tout ! Couchez-vous de bonne heure parce que ça commence tôt demain matin, conclut Caisse, les veines lui sortant du cou.

De toute sa vie, jamais Félix n'a rencontré pareil orateur. Convaincant et éloquent, Richard Caisse a déballé son discours sans aucune hésitation. On aurait dit une brillante réplique de film savamment livrée par un grand acteur comme Al Pacino ou Robert de Niro. Autant il est intimidé par le coach, autant Félix a une envie incroyable de jouer pour ce despote.

Encore fasciné par l'allocution de l'entraîneur-chef, la recrue de seize ans n'écoute même pas les directives de l'adjoint Milette. Dans sa tête, il repasse en accéléré tout ce qu'il a entendu dire sur Richard Caisse et il se dit que tout est probablement vrai, sans aucune exagération. En regardant le paresseux à Cédrick Loiselle du coin de l'œil, il songe que ce dernier va en baver un coup avec un dictateur comme Caisse.

— Méchant malade, le coach ! commente-t-il d'un ton exclamatif à un vétéran qu'il ne connaît pas et qui se trouve à côté de lui à la fin de la réunion.

— Ça dépend.

— Ça dépend de quoi?

— Disons qu'il aime bien crier fort pour se donner un style pis avoir l'air dur comme John Tortorella. Fais-le pas chier, écoute-le. Fais toujours ce qu'il te demande pis t'auras jamais de problèmes avec lui. Ça lui arrive souvent de péter sa coche et de donner son show, mais y a au moins une affaire avec lui, c'est qu'y est juste avec tout le monde.

— Mets-en que je vais suivre les consignes! Comment tu t'appelles?

— Marc-Olivier Laflamme. Je joue à l'aile gauche.

— Ben oui, je sais qui t'es. T'en as mis quarante-deux dedans l'an passé et t'as été *drafté* par les Penguins en troisième ronde. Moi, c'est Félix Riopel.

— Ouais, moi aussi, je te connais et j'ai entendu parler de toi. Mets-moi la *puck* sur la palette pis tu vas voir que ça va bien aller ton camp! lance Laflamme en riant.

De retour à sa pension, Félix rencontre monsieur Casault qui n'était pas là lorsqu'il est arrivé avec ses bagages, trois heures auparavant. Dany Lafrenière n'avait pas menti, car Jacques Casault n'a pas souvent la chance de placer un mot. Son épouse Ginette est un véritable moulin à paroles. Début de la soixantaine, plutôt grassette, les cheveux teints en blond, de grands yeux bleus, elle gesticule sans cesse en parlant. Son gros visage rond ressemble à celui de Claire, la tante de Félix qui vit à Joliette.

Et comme sa tante, Ginette rit toujours. Félix l'aime déjà.

Même s'il a bien mangé à l'aréna avec les autres joueurs et les membres de la direction des Huskies, il ne peut résister à un petit morceau de carré aux dattes qu'il avale tout rond accompagné d'un grand verre de lait très froid. De toute façon, même s'il n'avait pas eu faim, il n'aurait pas voulu décevoir madame Casault en refusant de goûter à ce qu'elle venait de lui offrir.

La longue randonnée en autobus jumelée au stress de la journée et à la courte nuit de la veille le frappe violemment. Ne voulant pas se montrer trop impoli envers ses hôtes, il lutte un peu contre le sommeil en se disant qu'il aurait peut-être été préférable qu'il arrive plus tôt pour être au mieux de sa forme en ce grand jour. Il a certes négligé l'impact d'une journée en autobus. Pourtant, sa mère lui avait suggéré de partir d'avance pour cette raison. Et sa mère, en ce moment, doit être morte d'inquiétude. Il avait promis de lui envoyer un texto dès son arrivée pour la rassurer, mais les choses se sont déroulées tellement vite qu'il a complètement oublié. Même s'il n'est que vingt et une heures, c'est le temps pour lui de se retirer dans sa chambre et de donner des nouvelles à toute la maisonnée.

Malgré la fatigue, Félix n'a pas tellement bien dormi. Tout ce qui s'en vient le tracasse et la veille, Jacques Casault n'a rien fait pour arranger les choses. Avant que son jeune pensionnaire aille dans sa chambre, en tentant de le rassurer pour qu'il dorme bien, il l'a plutôt découragé en lui mentionnant que la plupart des meilleurs joueurs des Huskies avaient logé chez lui au fil des années, pour ensuite ajouter de ne pas s'en faire et de travailler fort, car le directeur général lui avait dit qu'il figurait avantageusement dans les plans de l'équipe pour l'an prochain... Voilà qui déstabilisait Félix. Lafrenière avait pourtant déclaré « si jamais tu venais à causer une grosse surprise »...

Le Félix qui avait décidé en juin de ne faire qu'une apparition à Rouyn aurait pu accepter d'entendre cela, mais le Félix qui a conclu un pacte avec Carl est enragé. Comment le grand patron peut-il véhiculer des absurdités semblables ? Il a bien l'intention de lui faire ravaler ses paroles... Tout de même nerveux comme jamais, le joueur de hockey se demande si les dés ne sont pas pipés. Est-il censé se défoncer comme pas un, tout en risquant d'être mis de côté ? Ça n'avait aucun sens...

À son arrivée à l'aréna, il y a déjà un petit attroupement de joueurs près du bureau des entraîneurs, situé pas très loin de la patinoire. La liste des noms pour la composition des équipes est affichée. Félix se faufile avec empressement pour vérifier dans quelle formation il se retrouve. Son nom apparaît dans le groupe des blancs. Il est déçu de voir que la vedette des Huskies, le Tchèque Pavel Matejovsky, s'aligne avec les rouges, mais sa déception est encore plus grande quand il se rend compte que ce fendant de Loiselle jouera avec lui. Heureusement, le vétéran Marc-Olivier Laflamme, qui a été si gentil avec lui, fait partie de son groupe.

— T'es chanceux, Riopel, on est dans le même groupe, alors tu risques pas que je t'éclate en plein milieu de la glace, lui jette justement Loiselle en guise de bonjour.

— Pour me frapper, faudrait que tu sois assez vite pour me pogner, réplique Félix du tac au tac sans cacher qu'il est contrarié.

— Fais pas ton petit coq, Rippy! Sans farce, on est peut-être pas chums, mais on vient de la même place pis je te garantis que je vais prendre soin de toi sur la patinoire. Penses-tu que je suis un imbécile? Rouyn m'a *drafté* pour mon jeu en défensive pis parce que je suis capable de laisser tomber les gants pour défendre mes coéquipiers.

— C'est bizarre, mais j'ai comme pas confiance. En plus, je pense qu'on a même pas le droit de se battre pendant le camp.

— Ouin pis ? Depuis quand est-ce que Cédrick Loiselle respecte les règlements ? Je te le dis, je me bats dès ce matin. C'est mon agent qui m'a dit de faire ça. Il m'a certifié que même si c'est interdit, Richard Caisse va capoter en voyant que je drope quand même les gants, quitte à me faire chicaner.

— Quel agent ? Ton agent de probation ?

— Arrête de faire le comique, Riopel. Tu devrais être plus respectueux envers ton protecteur et remercier le ciel que je sois pas dans l'équipe des rouges, car tu retournerais dans ton beau village de Louiseville dès demain matin, en ambulance.

— Me semblait aussi que t'étais soudainement pas mal gentil. Mais sais-tu quoi ? J'ai pas besoin de protecteur, j'ai pas besoin d'agent pis j'ai pas besoin de chance. Y a des trous à l'attaque pour un joueur de centre comme moi. Si j'étais un gros défenseur robuste et malhabile, je serais pas mal plus nerveux, car les Huskies ont déjà deux *goons*... mais ça, je suppose que ton agent a oublié de te le dire, pis que toi, t'as même pas remarqué. Vu que je suis un bon gars, ça me fait plaisir de t'en aviser gentiment, surtout qu'ils sont tous les deux de l'autre bord.

Donc, c'est toi qui devrais patiner la tête haute... pas moi!

Avoir le dernier mot a revigoré Félix. Fatigué et nerveux, le petit attaquant a un peu retrouvé sa zone de confort grâce à cet échange de courtoisies avec le gros défenseur. Pendant quelques minutes, il a oublié tout ce qui s'en vient et le stress qui s'y rattache. Ça l'a ramené à la saison passée alors qu'il prenait un malin plaisir à argumenter de la sorte avec Loiselle pour n'importe quelle raison: hockey, musique, filles, école, cinéma, etc. Ils ne s'entendent sur pratiquement aucun sujet. Les rares occasions où ils auraient pu être d'accord, Félix est allé à contre-courant de ses propres goûts ou de ses idées tout simplement pour pouvoir le contredire.

Une fois dans le vestiaire des blancs, le jeune joueur de centre se fait plutôt peinard. Son équipe commence avec une séance d'entraînement sur la patinoire, alors que l'autre groupe va travailler dans le modeste gymnase. Il a encore une bonne quinzaine de minutes devant lui avant de devoir enfiler son équipement. Assis dans un coin, à la place qui lui a été assignée, les yeux fermés, il écoute du Pitbull à tue-tête pour entrer dans sa bulle et bien se préparer. C'est son rituel. L'odeur nauséabonde de l'équipement qui se mêle à celle de l'humidité des douches le réconforte, c'est un parfum universel que l'on retrouve dans tous les vieux arénas.

Tant qu'il gardera les paupières fermées, il se sentira à la maison. C'est comme lors du voyage que lui et ses coéquipiers du pee-wee AA avaient effectué à Helsinki, en Finlande. Malgré les milliers de kilomètres qui le séparaient de sa famille, il avait fermé les yeux en croquant dans un Big Mac et d'un coup sec, le temps de quelques bouchées, ça l'avait ramené chez lui, en Mauricie.

En ce premier matin, il se sent dans son élément, dans un univers qui lui a toujours procuré du bonheur et du succès. Pas question qu'il ouvre les yeux tout de suite. Il en est conscient et il sait qu'il doit étirer ce moment le plus longtemps possible pour s'assurer d'être en confiance lorsqu'il sautera sur la glace. Félix sait qu'il y a une expression reliée à un état d'esprit semblable. Son père lui a déjà expliqué que ça se nomme le réflexe de Pavlov.

Ce nom vient d'un scientifique russe qui a mené des expériences sur le lien entre l'état physique ou psychologique d'un sujet face à l'influence d'une action externe. Il y a bien longtemps que son père lui a parlé de ça, mais il n'a jamais oublié cette conversation anodine. Pas en raison du parallèle que son paternel avait voulu tracer avec la préparation des athlètes, mais plutôt parce qu'il avait compris pourquoi, dans les cirques, les ours savants dansaient. C'était l'exemple qu'André lui avait donné pour qu'il comprenne bien le concept. Le dompteur place l'ours sur une immense plaque chauffante, puis il fait jouer une chanson. Toujours la même. Après quelques jours, la bête associe rapidement la chanson à la chaleur sous ses pattes et se met à sautiller dès les premières notes par pur réflexe… Félix est rassuré. Il est scientifiquement prouvé qu'il est un adolescent normal. Les fesses sur un banc de bois inconfortable, son iPod qui hurle dans ses oreilles, l'odeur d'un vieux vestiaire de hockey humide, pour lui, c'est le conditionnement pavlovien qui signifie que la vie est belle, que tout va bien. Il connaît la chanson, mais malgré tout, ce matin, comme l'ours du cirque, il a drôlement peur de se brûler.

7
Le camp d'entraînement des Huskies

Chemin faisant vers le domicile des Casault, Félix envoie des textos et entretient des conversations parallèles avec Carl, Emma, sa mère et sa sœur Véronique. La journée s'est beaucoup mieux déroulée qu'il ne l'avait prévu. Line l'a rapidement deviné, car quand les choses ne tournent pas rond, son fils se referme et évite toute forme de communication. Dans ces circonstances, la meilleure chose à faire est de le laisser tranquille et de ne pas poser trop de questions. Ce qu'elle ne sait pas, c'est qu'il agit de la sorte seulement avec elle, pour ne pas l'alarmer. À l'opposé, lorsque tout va comme sur des roulettes, Félix devient un véritable livre ouvert.

> Trop facile. Meilleure recrue au camp. J'ai scoré plein de buts. Même parlé à 2 journalistes ! Wowww ! ☺

C'est le premier texto qu'il a acheminé en sortant de l'aréna Iamgold. Un envoi simultané.

Il a à peine le temps de franchir le stationnement que les réponses s'affichent presque toutes en même temps. Marchant machinalement vers sa pension, il fait aller ses pouces sur son téléphone cellulaire. Il se fait bombarder de questions. Sa mère veut savoir s'il s'est fait frapper, Emma demande où trouver les entrevues qu'il a accordées, Véro se contente de dire bravo et Carl pose une multitude de questions sur Matejovsky. Tout en multipliant les envois, Félix fait le bilan de ce premier jour d'entraînement et il a lui-même de la difficulté à croire que tout s'est aussi bien déroulé.

Arrivé chez les Casault, il s'assoit dans les escaliers. Il désire savourer l'instant présent et revoir sa journée en solitaire. Lors des exercices, il a marqué à ses huit premiers lancers. Ce qui l'a grandement aidé à se sentir en confiance. Et de ces huit buts, il en a inscrit cinq contre Dean Perron, le gardien numéro un des Huskies, un choix de septième ronde des Hurricanes, il y a deux ans, au repêchage de la LNH. Après ce cinquième filet consécutif, le vétéran a fracassé son bâton contre la barre horizontale. Il n'était que dix heures quinze et déjà, Félix Riopel attirait les regards.

Peu costaud comparé aux autres joueurs, il a prouvé qu'il est dans une forme splendide. En fin d'après-midi, lors de la dernière séance d'entraînement de la journée, Caisse les a fait patiner à fond. Souriant au centre de la glace, main sur les hanches et sifflet à la bouche, l'entraîneur-chef leur en a fait baver un coup. Incapable de soutenir le rythme, au bout d'une dizaine de minutes, Loiselle a été le premier à vomir. À la fin, la moitié du groupe l'avait imité. Félix, lui, a gardé la cadence jusqu'à la conclusion de cet exercice éreintant. Exténué, mais souriant, il s'est quand même efforcé de démontrer qu'il aurait pu maintenir le rythme. Il sait qu'en théorie, en agissant ainsi, il décourage les autres joueurs et impressionne les entraîneurs. En théorie, car dans les faits, Richard Caisse n'a pas été épaté par sa performance et le lui a fait savoir. En effet, en quittant l'aréna, comme il passait devant le bureau des entraîneurs, Félix, en verte recrue, a ouvert la porte.

— Salut, coach, à demain!

— Lâche pas, le *kid*, ça a bien été pour une première journée, a lancé Caisse sur un ton qui lui a semblé étrangement sympathique.

— Merci, coach! J'étais pas pire au patin tantôt?

— J'espère que t'es pas pire en patin. Parce qu'à la grosseur que t'as, si tu patines pas vite, j'vois pas ce que tu fais ici, a alors rétorqué l'entraîneur, d'un ton sec, sans même le regarder.

Si c'était à refaire, Félix fermerait sa gueule et passerait devant le bureau des entraîneurs sans même dire au revoir. D'ailleurs, cet épisode l'a convaincu d'une chose : il n'adressera plus la parole à Richard Caisse, comme ce dernier le désire.

Il y a peut-être un autre petit point négatif, mais pas de quoi faire toute une histoire : son numéro. Le préposé à l'équipement lui a donné le numéro 86. Quel numéro insignifiant à ses yeux ! Son père non plus n'aurait pas aimé. Avec André, il a toujours été hors de question que fiston choisisse un numéro trop élevé.

« En haut de 40, ça devient des numéros de Nascar. Un vrai joueur de hockey, ça porte un petit numéro », répétait-il souvent, surtout en regardant les matchs à la télé.

Même si Félix n'est pas complètement d'accord avec son père sur ce point, il a quand même toujours opté pour des numéros dans la vingtaine. Le 87 pour Crosby, ça aurait été génial. Le 88 pour Kane aussi. Au pire, le 84 comme Latendresse, dans le temps, à Montréal… mais 86 ! Quel numéro stupide !

Malgré tout, comme entrée en matière, Félix peut difficilement demander mieux. Cependant, cette première journée n'est qu'une étape. Il n'y a toujours pas eu d'exercices avec contacts ni de matchs simulés. Le petit joueur de centre sait très bien que la période d'entraînement ne durera pas une éternité et que, par conséquent, le plus dur reste à venir.

— Félix, c'est l'heure de te lever ! Il est déjà sept heures trente, dit gentiment Ginette Casault en cognant délicatement contre la porte de la chambre de son jeune pensionnaire.

— J'arrive tout de suite, répond Félix en saisissant son téléphone.

Contrairement à la nuit précédente, cette fois, il a dormi profondément. Le stress de la première journée est tombé et le sommeil a été récupérateur. Il se sent beaucoup mieux que la veille. Physiquement et mentalement. Pendant que madame Casault lui prépare une omelette au fromage, il répond aux quelques textos reçus en fin de soirée. Il souhaite une bonne journée à sa mère et à Véronique. Il salue Carl et il écrit à sa blonde : « Je t'aime, Emma ! »

En regardant madame Casault lui préparer son nourrissant petit déjeuner, il se dit qu'il sera réellement bien dans cette maison s'il réussit à se tailler une place avec l'équipe. Ça ne fait même pas encore quarante-huit heures qu'il est arrivé en Abitibi et déjà, il se sent chez lui dans cette famille. Et c'est encore plus vrai maintenant qu'il se retrouve assis au comptoir de cette cuisine baignée de soleil et d'odeur de bacon.

— T'as presque rien mangé hier matin, alors je me suis dit qu'aujourd'hui, je te ferais à déjeuner! Y a personne qui fait de meilleures crêpes que moi à Rouyn, mais j'ai pensé que ce n'était pas la meilleure chose avant une grosse journée de hockey.

— Merci, madame Casault. J'avais pas trop faim hier. Au contraire, ce matin, je suis affamé!

— Veux-tu un bon café avec ton omelette?

— Non merci. Je n'ai jamais bu de café!

— Regarde ce que je t'ai imprimé. J'ai trouvé ça tantôt sur le site du journal *La Frontière* et sur *Abitibi Express*. Ce sont deux beaux articles qui parlent de toi! Ils disent que c'est un début prometteur pour le jeune espoir Riopel. Bravo, mon Félix!

— Voyons. Ça a pas de bon sens!

— Tu vas voir, ici, nos Huskies, c'est comme le Canadien. Y a des articles tous les jours sur Internet. C'est l'fun, Internet. Ça fait trois ans qu'on l'a fait installer. Au début, je ne savais pas trop comment ça marchait. En fin de compte, c'est pas compliqué du tout. Jacques s'en sert surtout pour son pool de hockey et pour consulter la météo quand il s'en va à la chasse ou à la pêche. Moi, je trouve des recettes, j'envoie des photos à mes sœurs au Lac-Saint-Jean pis je suis sur Facebook aussi. Le plus agréable, c'est de pouvoir suivre mes petits gars des Huskies. Tu sais que grâce à Internet, j'ai retrouvé tous les petits gars qu'on a reçus en pension ici depuis qu'on héberge des jeunes.

Pendant que Ginette Casault poursuit son envolée oratoire sur l'utilité du Web, Félix engloutit son déjeuner en lisant les textes qui parlent de lui. En fait, madame Casault a largement exagéré. Il n'y a que deux petites lignes où l'on fait mention de son nom. Dans *La Frontière*, le journaliste a écrit :

LA FRONTIÈRE – SPORTS

Camp des Huskies

Chez les recrues, Félix Riopel, un choix de troisième ronde (43e au total) au dernier repêchage, est celui qui s'est le plus démarqué.

Alors que sur *Abitibi Express*, on peut lire :

ABITIBI EXPRESS – SPORTS

Nos Huskies de Rouyn-Noranda

Félix Riopel, un espoir de seize ans, a fait mal paraître le vétéran gardien Dean Perron qui n'était pas au mieux pour ce premier jour d'entraînement, mais celui-ci aura le temps de retrouver son rythme avant de partir pour le camp des Hurricanes.

Il prend tout de même le temps de copier les liens et de les texter à sa mère et à Emma pour qu'elles y jettent un coup d'œil.

En pointant l'horloge du salon, madame Casault lui ordonne de laisser son assiette et son verre sur le comptoir.

— Je vais tout ramasser. Allez, file!

Sans retenue, Félix se lève, range son banc et donne un gros câlin à madame Casault en la remerciant avant de retourner à sa chambre chercher son iPod. Ce matin, il ne va pas marcher, mais il va courir vers l'aréna et il va écouter du vieux rock. *Welcome to the jungle* de Guns N' Roses sera à l'honneur, en boucle, jusqu'à ce qu'il entre dans le vestiaire des Blancs.

La deuxième journée débute tranquillement. Les joueurs de l'équipe des Blancs commencent par un peu de course et des exercices en gymnase, puis le groupe saute sur la patinoire en fin d'avant-midi. La séance se veut intense sans être trop exigeante. Richard Caisse ménage ses troupes, car à quinze heures, les Blancs vont affronter les Rouges.

Comme la veille, la direction des Huskies a engagé un traiteur pour le repas du midi. Félix n'a pas trop faim cette fois. Il attrape deux petits sandwichs et va s'asseoir seul dans le haut des gradins. Il n'est que midi vingt-cinq. L'attente sera interminable avant ce premier vrai test.

Perdu dans ses pensées, il ne peut s'empêcher de songer à ce que Richard Caisse lui a dit lors du repêchage et à ce qu'il a ajouté la veille. Il est évident qu'il n'aime pas les joueurs de petite stature. En écoutant les Cowboys Fringants, pour la centième fois de sa vie, Félix fait le décompte des petits joueurs qui ont réussi à atteindre la LNH. Il se dit qu'il n'a rien à envier à Brian Gionta, David Desharnais, Martin St-Louis, Nathan Gerbe, Derek Roy ou Francis Bouillon. Tout ce qu'il lui faut, c'est augmenter sa masse musculaire.

Comme il le fait depuis les rangs pee-wee, Félix enfile son uniforme en commençant toujours par la gauche, peu importe la pièce d'équipement. Jamais il ne mettra le patin droit avant le gauche. Même chose pour les jambières, les protège-coudes et les gants. Il ne se souvient plus pourquoi il a un jour commencé à procéder ainsi, mais c'est probablement parce qu'il a lu ou entendu qu'une vedette de la LNH avait cette superstition et qu'il a voulu l'imiter.

Pour ce match, les Blancs sont dirigés par Sébastien Mailhot, l'entraîneur des défenseurs, alors que les Rouges sont sous la responsabilité d'Éric Renaud, le coach des gardiens. Flanqué du directeur général Dany Lafrenière, Richard Caisse prend des notes sur la galerie de presse avec Pascal Milette, son adjoint principal.

Environ deux cents farouches partisans sont éparpillés dans les estrades pour épier les faits et gestes de leurs favoris, mais aussi pour voir comment vont se débrouiller les petits nouveaux.

D'entrée de jeu, Pavel Matejovsky confirme qu'il se situe nettement dans une classe à part. Puissant et explosif sur patins, il possède une vision du jeu exceptionnelle, des mains de magicien et un tir des poignets peut-être pas très puissant, mais extrêmement précis. Hypnotisé par le grand joueur tchèque, Félix le regarde aller toute la première période en se disant que ce gars-là sera un porte-couleurs des Capitals avant longtemps. Il n'est d'ailleurs pas le seul à être ébloui par le talent de la vedette des Huskies et, au premier entracte, Mailhot rappelle tout le monde à l'ordre dans le vestiaire des Blancs.

— Les nouveaux, vous n'avez pas l'air d'avoir compris qu'on a juste une semaine pour faire le club. Arrêtez de regarder patiner Matejovsky comme s'il était Sidney Crosby. Si vous le trouvez si *hot* que ça, vous vous ferez poser avec lui quand vous serez retranchés du camp cette semaine. Pis si vous êtes capables de comprendre que vous êtes dans la même ligue que lui, ben vous serez avec lui sur la photo d'équipe.

L'avertissement de Mailhot ne tombe pas dans l'oreille d'un sourd en ce qui concerne le 86. Dès le début de la deuxième période, Félix sort de sa coquille. Pour se mettre dans le bain le plus rapidement possible, il frappe tout ce qui bouge, ce qui irrite certains vétérans des Rouges. Qu'à cela ne tienne, il gagne du galon auprès de ses coéquipiers des Blancs et Marc-Olivier Laflamme va même l'encourager lors du deuxième entracte.

— Bonne deuxième période, le *kid*.

— Merci beaucoup. J'étais gelé en première. J'avais trop peur de faire des gaffes, mais finalement la différence est pas si énorme entre le midget AAA pis le junior.

— Attends un peu. Les *vets*, on n'a pas encore ouvert la machine. On est sept ici à aller à des camps pros la semaine prochaine, alors on prend ça mollo.

— OK. Mais quand même, j'aurais pensé qu'y aurait une plus grosse différence en général, avoue Félix sans prétention.

— Belle passe, tantôt, sur le but du 64, le gars du West Island. Si jamais on se retrouve ensemble sur un jeu en troisième, prends une *shot* au *net*. Les jeunes, vous donnez tout le temps la *puck* aux *vets* et vos jeux sont prévisibles. Joue comme si t'étais avec tes chums du midget pis ça va aller encore mieux.

— Merci, Marc-Olivier. J'espère que ça va arriver ! Mais pourquoi t'es fin de même avec moi ?

— Je suis fin de même avec tout le monde ! Je m'en vais justement dire la même affaire aux deux autres ti-culs de seize ans avant que la troisième commence!

Félix conclut la rencontre avec un but et deux passes dans une défaite des Blancs au pointage de 9 à 7. En plus, son filet a pratiquement été préparé dans le vestiaire entre le deuxième et le troisième engagement. Dans une descente à deux contre un avec Laflamme, il a feinté la passe au vétéran. Le gardien Didier Lapointe, choisi en deuxième ronde avant Félix, s'est déplacé trop rapidement vers le franc-tireur des Huskies et la recrue en a profité pour marquer dans une ouverture béante.

Cette fois, contrairement à la veille, aucun journaliste ne l'approche pour obtenir ses commentaires. Aucun entraîneur ne le félicite. Quand il croise monsieur Lafrenière, ce dernier le salue à peine et les autres joueurs s'en vont chacun de leur côté, sans rien dire. Il a l'impression que sa prestation est passée inaperçue et il n'a pas tort. Dans un festival offensif du genre, une bonne demi-douzaine de gars ont obtenu autant de points que lui. En fait, tous n'en ont que pour Matejovsky qui a enfilé six des neuf buts des Rouges.

Déjà le troisième jour du camp. Deux matchs intra-équipes sont à l'horaire aujourd'hui, et à la fin de la journée, quelques joueurs seront déjà retranchés. La première rencontre est prévue à dix heures trente et la seconde, à quinze heures.

Tous les joueurs ont été avisés que les arbitres distribueront beaucoup de punitions, car les entraîneurs désirent voir comment certains vont se comporter sur les unités spéciales. L'an passé, avec les Estacades de la Mauricie, Félix a récolté presque la moitié de ses points en avantage numérique et il estime qu'il pourrait profiter de ces deux rencontres pour impressionner la direction.

Défaite la veille, son équipe s'incline de nouveau en matinée face aux Rouges, cette fois par la marque de 6 à 2. Félix n'obtient aucun point. Pire, il était sur la glace lors de deux buts de l'adversaire et deux autres fois, il a vu l'ennemi marquer alors qu'il était assis au banc des punitions. Pas une fois on n'a fait appel à ses services en avantage numérique, mais à sa grande surprise, on lui a demandé de jouer quelques fois alors que son équipe devait se débrouiller avec un homme en moins.

En mangeant, Félix se questionne. Qu'est-ce qui a fait défaut ? Sa préparation était adéquate, il a été intense, il était confiant. L'aspect physique n'est pas un élément qui l'incommode à ce niveau de jeu. Ce n'était probablement qu'un mauvais match. Évidemment, il devra trouver un moyen de se distinguer lors de l'autre joute, sinon il a le sentiment qu'il pourrait se retrouver dans le pétrin. D'ailleurs, Richard Caisse a lancé un message clair à tout le monde en retranchant un joueur de chaque groupe sur l'heure du dîner, même si ce n'était pas prévu. Plutôt que d'aller se recueillir en solitaire, cette fois, Félix joue au soccer en compagnie des quelques autres gars qui sont demeurés à l'aréna. C'est sûrement la meilleure chose à faire, car depuis ce matin, Emma le bombarde de textos et elle a même tenté de le joindre sur son cellulaire alors qu'elle sait pertinemment qu'il ne peut pas recevoir d'appels puisqu'il n'a pas de forfait pour les interurbains. Elle ne semble pas comprendre qu'il est occupé et qu'il n'a aucunement le temps de lui répondre lorsqu'il est à l'aréna. Se chicaner avec son amoureuse est la dernière chose qu'il souhaite en cette première journée de coupures. Et il sait pourquoi sa belle Emma tient tant à lui parler. C'est que la veille, avant d'aller au lit, il a passé une petite heure sur Internet et qu'il a accepté une bonne vingtaine de nouvelles demandes d'amitié sur Facebook… en majorité de jeunes demoiselles de son âge, admiratrices des Huskies.

En s'habillant pour ce match crucial, Félix a oublié tous ses tracas. Il se dit qu'il n'a peut-être pas amassé beaucoup de points, mais qu'il n'a pas été mauvais non plus. Comme il a été sélectionné relativement tôt, on va forcément vouloir lui donner la chance de se faire valoir en matchs préparatoires.

Pour ce dernier duel intra-équipe, le groupe des Blancs l'emporte 4 à 3. Félix n'obtient aucun point, mais un de ses tirs a frappé la barre horizontale et il a aussi préparé quelques beaux jeux.

Comme il l'avait prévu, il évite le couperet et il aura la chance de disputer au moins l'une des deux parties à l'horaire ce week-end face aux Foreurs de Val-d'Or. Au total, une dizaine de joueurs sont retranchés. Cédrick Loiselle survit lui aussi à cette première vague de coupures. Le gros défenseur n'a pas engagé le combat comme il l'avait promis à Félix. Il n'est pas le plus en forme, mais il n'a pas eu l'air fou.

Le stress de la journée et le mélodrame qui se dessine entre Emma et lui ont terrassé Félix. Épuisé, il rentre tranquillement chez les Casault en se disant qu'il n'a pas connu une journée extraordinaire et qu'il devra puiser dans ses ressources pour rebondir en fin de semaine. Avant d'entrer dans la maison, il envoie un message à son amoureuse.

> J'ai passé les coupures. Jtm. Inquiète-toi pas pour des niaiseries. J'suis brulé tight. T'es la plus belle. Chu fou de toi, ds le jus ici, j'mets le cell à off. Jte txt demain, Luv u. XXX

Puis il fait un envoi commun à sa mère, à sa sœur, à Carl et à quelques autres copains.

> Un paquet de gars coupés. Le 86 est encore à Rouyn. ;-)

8
Pas de place pour Loiselle et Riopel

Jour quatre du camp d'entraînement et c'est une journée aussi importante que palpitante pour les trente-deux joueurs toujours présents au camp. Ce soir, les Huskies affronteront les Foreurs au Centre Air Creebec, à Val-d'Or.

Les joueurs doivent se présenter à l'aréna à neuf heures trente. Ceux qui joueront vont sauter sur la patinoire à dix heures trente et les autres iront au gymnase puis s'entraîneront ensuite sur la glace quand elle sera libre.

Premier arrivé à l'aréna, Félix ne cache pas sa joie quand il constate que son nom figure sur la liste des joueurs qui seront en uniforme. Attentif à lire les noms de ceux qui prendront l'autobus avec lui, il ne remarque pas qu'un individu l'observe du coin de l'œil. Et comme il a ses écouteurs sur les oreilles, il ne l'entend pas s'approcher. Alors quand Denis Gariépy lui tape sur l'épaule, Félix sursaute si fort qu'il renverse presque le café du dépisteur-chef des Huskies.

— Ayoye ! T'es ben nerveux, le *kid* !

— Non, mais je vous ai pas entendu arriver. Je suis désolé, monsieur. Ça va, votre café ?

— Tout est beau, mon Félix. Tu me replaces pas ? Denis Gariépy, dépisteur-chef.

— Ben oui ! Je me souviens beaucoup plus de l'entrevue que du repêchage, mais je sais qu'on s'est vus deux fois.

— On s'est vus deux fois… Tu veux dire que toi, tu m'as vu deux fois. Moi, je t'ai vu une bonne vingtaine de fois. Mais tu m'as sans doute pas remarqué, assis dans les estrades, avec les autres dépisteurs. Comment va ton camp ?

— Je dirais que ça va, mettons, six et demi sur dix, admet sincèrement Félix. Mais ça va aller mieux aujourd'hui, car la pression de la première coupure est partie.

— Ouais… ton évaluation est assez juste. Pis pourquoi tu te donnes six et demi sur dix ? T'as pas suivi notre programme cet été ?

— Non, c'est pas ça. J'ai travaillé fort en maudit cet été. J'sais pas. Je me suis donné à fond, mais dans les *games* contre les Rouges, les points sont pas venus pis je me dis qu'un gars comme moi doit produire pour se faire remarquer.

— Dis-moi donc, Félix, pourquoi tu penses qu'on t'a repêché?

— Ben, parce que je suis un bon joueur de hockey.

— T'es pas mal moins *cocky* à matin que lors de notre entrevue ou même au *draft*, quand t'as envoyé promener le coach. Te souviens-tu de ce que tu lui as dit?

— C'est sûr que je m'en souviens! J'étais assez fâché.

— Ben justement. T'as pas l'air fâché une seconde depuis que t'es arrivé au camp. Je vais te dire une chose. Ça fait trente ans que je suis dans le hockey. Des joueurs de talent, j'en ai vu passer un maudit paquet, mais des comme toi, pas souvent. Pis je vais te dire pourquoi t'es aussi bon, c'est parce qu'en plus de ton talent exceptionnel, tu joues avec de l'émotion. Ça vient du fond de tes tripes pis j'ai allumé là-dessus. Toutes les fois que je t'ai vu jouer, c'est pas compliqué, t'avais le feu au cul. Les coudes dans les airs, toujours en train de baver, les coups de bâton sur les chevilles, tu *gosses* tout le temps tout le monde. Pis quand t'as la *puck*, t'as l'air de dire «envoyez, ma gang de sales, essayez de venir me l'ôter, la maudite rondelle». Quand tu fais ça, t'as du fun. Pis quand t'as du fun, tu joues bien. Mais là, c'est pas ça que tu fais. T'es fin avec tout le monde, tu transportes pas la rondelle, t'écœures personne. Je te regardais hier pis j'avais le goût de te donner un *kodak* pour que tu prennes des photos pendant la *game*. À soir, j'aimerais ça revoir le Félix qui a envoyé chier Richard Caisse au *draft*, pas l'ostie de candidat au Lady Bing qui donne des bonbons à tout le monde depuis trois jours.

À la fin de son monologue, Denis Gariépy décoche un clin d'œil à Félix, lui donne une claque amicale sur l'épaule et tourne les talons sans rien ajouter.

Immobile, la bouche ouverte, le iPod dans les mains et qui laisse résonner du Bob Bissonnette, Félix le regarde partir en se demandant ce que ça aurait été si, en plus, il avait fallu qu'il lui renverse son café.

Un peu décontenancé par les propos de Denis Gariépy, mais pas en total désaccord avec ce qu'il vient d'entendre, Félix admet qu'il se retrouve effectivement dans une situation précaire, exactement comme il l'avait lui-même appréhendé. En revoyant ses parties dans sa tête, il ne peut que donner raison au dépisteur-chef des Huskies. Il n'a pas été mauvais, mais il ne s'est pas démarqué. Pendant un camp d'entraînement, lui répétait constamment son père, les coachs doivent voir des étincelles : un but spectaculaire, une mise en échec qui fait du bruit, une passe magistrale, une feinte ahurissante, un repli défensif inespéré, peu importe, il faut que quelque chose attire l'attention le plus souvent possible. Depuis trois jours, il a fait absolument le contraire de ce que son paternel a toujours préconisé, c'est-à-dire qu'il a joué pour ne pas commettre d'erreur. Sans mal jouer, il n'a cependant pas donné la chance aux entraîneurs de mettre une belle petite note à côté de son nom.

Gonflé et stimulé par cette prise de conscience, Félix sent une poussée d'adrénaline l'envahir. La période d'adaptation est finie. Maintenant, il va jouer à sa manière, celle qui lui a toujours procuré tant de plaisir sur les patinoires.

Dans sa bulle, le capuchon sur la tête, il écoute encore du Bob Bissonnette. Il est assis à sa place dans le vestiaire et il se dit que ce soir, à Val-d'Or, il va donner tout un spectacle.

— Hey, le *kid*, apporte-moi un Gatorade bleu, ordonne comme à l'habitude Xavier Neveu, un vétéran de vingt ans qui se prend pour le patron à Rouyn.

— Hey, Riopel, c'est à toi que je parle. *Pitche*-moi un Gatorade bleu, s'il te plaît, ajoute Neveu puisque Félix n'a pas bronché.

— Je le sais que c'est à moi que tu parles, Neveu. Je suis pas sourd. T'as beau pas être vite sur tes patins, t'es capable de marcher jusqu'au frigo. J'ai-tu l'air d'une *waitress*?

— Ah… Va chier, le *kid*!… Dans deux jours tu vas être parti.

Pendant que les autres ne se retiennent pas de rire et que son coéquipier bougonne en allant se servir lui-même, Félix se rend compte que la veille, il se serait levé gentiment et serait allé porter un Gatorade au vétéran. Il en aurait même offert à tout le monde dans le vestiaire alors que ce n'est pourtant pas son genre.

En passant devant lui pour sauter sur la patinoire le premier, Neveu le fusille du regard, mais tous ceux qui le suivent l'observent avec un large sourire complice. Mieux encore, Justin Bishop, un anglophone de l'Île-du-Prince-Édouard repêché par Dallas quelques mois plus tôt, se penche vers lui et lui dit tout bas, dans un français approximatif :

— *Nice job, kid!* J'aime déjà toé. T'es drôle.

Félix n'a pas besoin de pousser plus loin son introspection. C'est maintenant confirmé, monsieur Gariépy avait amplement raison. Il est beaucoup plus à l'aise dans le rôle du petit détestable. À trop vouloir bien paraître et présenter une belle attitude positive, il a mis sa propre personnalité de côté. D'ailleurs, la dernière fois qu'il s'est senti aussi bien, c'est le premier jour du camp, quand il a eu une prise de bec avec Loiselle.

Dorénavant, les Huskies vont voir le vrai Félix Riopel et, s'il est retranché, au moins il ne passera pas la saison entière à se questionner sur ce qu'il n'a pas fait et ce qu'il aurait dû faire.

Après un petit entraînement matinal de routine où l'entraîneur a surtout expliqué la façon de jouer sur les unités spéciales, les joueurs mangent ensemble à l'aréna. Ensuite, ils vont faire la sieste dans leur pension respective et reviennent tôt à l'aréna, car l'autobus quitte le Centre Iamgold à quinze heures trente.

Même si on lui a attribué un numéro qu'il déteste, lorsqu'il endosse le chandail officiel des Huskies, un grand sentiment de fierté envahit Félix. S'il était seul dans le vestiaire, il tendrait même le bras pour se prendre lui-même en photo afin de conserver un souvenir de ce moment.

Avant la rencontre, Richard Caisse prend la parole pour expliquer la grande rivalité entre Rouyn-Noranda et Val-d'Or, mais également pour faire comprendre aux joueurs ce qu'il aimerait les voir réaliser pendant ce premier match préparatoire. Plus personne ne bouge. C'est à peine si les nouveaux osent respirer. Félix adore sa façon de s'exprimer avec des mots directs et percutants. Ce n'est même pas une vraie partie et jamais il n'a été aussi motivé que ce soir avant de sauter sur la patinoire.

Flanqué du vétéran Xavier Neveu et du joueur invité Dylon Vannelli, Félix amorcera la joute sur le troisième trio des Huskies. Il aurait certes préféré être jumelé à Laflamme, mais au moins, il se retrouve entre deux gros ailiers.

Au milieu de la première période, Alex Antonacci, une recrue de seize ans des Foreurs, échappe la rondelle en zone centrale en évitant une mise en échec de Loiselle. Félix la récupère, évite un adversaire et accélère en entrant dans le territoire adverse. Il esquive un défenseur qui tente de le frapper contre la rampe, contourne le filet et remet du revers à Neveu, oublié dans l'enclave, lequel touche la cible avec un lancer à ras le sol, entre les jambières du gardien.

Au début du troisième vingt, Félix obtient une deuxième mention d'aide. Vannelli sort du coin de la patinoire avec la rondelle après avoir gagné une bataille à un contre un. Il la refile à Félix qui tente un lancer sur réception. Encore bien posté devant le filet, cette fois, Neveu fait habilement dévier le disque dans le but.

Moins de six minutes plus tard, Félix orchestre une descente à trois contre deux. Vannelli décoche un tir et Neveu saisit le rebond pour facilement compléter son tour du chapeau. Les Huskies perdent ce premier affrontement pré-saison 6 à 4, mais le trio de Félix a été le meilleur des deux équipes.

En montant dans l'autobus, Félix se penche vers Xavier Neveu, déjà installé sur son banc et affairé à manger un quart de poulet.

— Je te donne peut-être pas le Gatorade dans le vestiaire, mais je te donne la *puck* sur la palette pendant les *games*. C'est pas mal plus important, je pense!

— Ta gueule, le *kid*, réplique Neveu en souriant.

Confortablement assis au milieu de l'autobus, Félix allume son iPod et son cellulaire. Contrairement aux autres, il ne mange jamais immédiatement après les parties. Les yeux fermés, il écoute du David Guetta et revoit son match, jeu par jeu. Malgré une douleur vive à l'avant-bras droit, résultat d'un coup de bâton reçu au deuxième tiers, il s'endort quelques minutes seulement après le départ. Quand il se réveille, un peu avant d'arriver à Rouyn, il envoie un texto à sa famille et à ses amis.

> Premier match junior, check. 3 passes. Meilleur joueur sur la glace. Je vais jouer junior cette année!

Cinquième jour du camp d'entraînement. Comme les autres clubs de la LHJMQ, les Huskies devront avoir complété leur équipe le lendemain, avant midi pile.

Puisqu'il s'est très bien débrouillé la veille à Val-d'Or, Félix ne s'attend pas à être de la formation pour la rencontre de ce soir à Rouyn. Heureusement qu'il se pointe quand même à l'aréna assez tôt, car son nom apparaît encore sur la liste des joueurs qui affronteront les Foreurs et il devra sauter sur la glace à dix heures trente.

Ce n'est assurément pas une bonne nouvelle. Les dirigeants de l'équipe ont vu comment il est capable de tirer son épingle du jeu. S'ils lui demandent de disputer un autre match, c'est sans doute qu'ils ne sont pas encore convaincus.

Ce qui le rassure, c'est que le nom de Loiselle figure également sur la feuille, et à Val-d'Or, ce dernier a été très solide en défensive, en plus de livrer un furieux combat contre Sean Patterson. Par contre, en scrutant plus attentivement la liste des joueurs, il découvre à regret que Neveu et Vannelli obtiennent une soirée de congé.

Pour ce deuxième duel en vingt-quatre heures contre les Foreurs, Félix se retrouve entre Milan Isner et Mathieu Archambault, deux gars qui faisaient partie des Huskies l'an passé. Ils sont reconnus pour leur efficacité en défensive face aux gros trios adverses. Contrairement à la veille, Caisse l'emploie toutefois sur la première vague de l'avantage numérique et, en fin de deuxième période, il repère Marc-Olivier Laflamme posté près du filet. Laflamme marque avec un foudroyant tir sur réception dirigé directement dans la lucarne.

Au milieu du troisième engagement, alors que c'est 4 à 1 pour les Foreurs, l'entraîneur fait même jouer Félix à la pointe en compagnie de Loiselle lors d'une supériorité numérique. À la minute où son équipe réussit à s'installer en territoire rival, une ouverture se crée du côté gauche et Félix descend au filet. Il capte un retour de lancer de Joey MacIntosh et marque sans difficulté.

Après le premier week-end d'activité, il trône au sommet des marqueurs de son équipe avec un but et quatre passes pour un total de cinq points en deux parties. Intense et fougueux, il réussit à produire les étincelles qu'il recherchait. Les journalistes l'ont remarqué. Après le match, il a même signé ses premiers autographes en carrière. Il lui reste à espérer que Richard Caisse et ses assistants ont aussi apprécié son jeu.

La nuit s'annonce longue pour Félix et les quelques autres joueurs qui attendent anxieusement de connaître le sort qui les attend. Si le jeune espoir de seize ans est retranché, il ira rejoindre les Estacades de Trois-Rivières au sein de la ligue midget AAA, mais pour la plupart des autres, un échec sera presque synonyme de retraite.

La nuit est encore plus longue pour les dirigeants des Huskies qui argumentent jusqu'aux petites heures du matin avant de s'entendre sur la composition finale de l'équipe. Le cas de Félix Riopel ne fait pas l'unanimité auprès des dirigeants. Dans l'exigu bureau, le seul sujet de discorde porte le numéro 86.

— Voyons donc, Dany, on n'a pas le choix de garder le jeune Riopel, lance Richard Caisse en haussant le ton. Je l'ai mis avec deux gars défensifs à soir, Isner et Archambault. Qu'est-ce qui est arrivé ? Ils se sont ramassés avec deux ou trois chances de *scorer* chacun. C'est pas la faute du *kid* si y ont pas de mains.

— On reviendra pas là-dessus, Rick. On va garder un seul *kid* de seize ans. On a un club pour aller à la Coupe Memorial, pis c'est pas une garderie icitte. T'étais d'accord avant le début du camp, réplique le directeur général sur un ton exaspéré.

— Ben, des plans, c'est fait pour être changé. Je comprends que t'es peut-être pas d'accord pour qu'on coupe Archambault afin de faire une place au *kid*, mais dans ce cas-là, échange Archambault pour un choix au repêchage l'an prochain. De toute manière, on va avoir besoin de joueurs l'année prochaine parce qu'on va perdre les trois quarts de notre club à la fin de la saison.

— Arrête de dire des folies. Archambault part pas de Rouyn, pis tu vas être très heureux de l'avoir après les fêtes. C'est un petit gars qui va à la guerre chaque soir pis, avec tout ce qu'il a fait pour les Huskies depuis trois ans, il mérite d'aller à la Coupe Memorial, si on se rend là.

— C'est ça qui m'écœure de ton attitude. T'es trop fin. On s'en sacre-tu d'Archambault ? On lui doit quoi, nous autres, à Archambault ?

— C'est pas ça, le point, Rick, et tu le sais très bien. On se rendra pas à la Coupe avec deux bébés de seize ans. Tabaslack, on était tous d'accord là-dessus. *Right?*

— Moi, je pense que Dany n'a pas tort, ajoute Gariépy qui s'implique pour la première fois dans la conversation. À seize ans, un *kid*, faut qu'il joue au hockey. On a vu de belles choses de Riopel, mais je te connais, Rick, après les fêtes, le *kid* va jouer quatre ou cinq minutes par *game*. Il va se développer pas mal plus en bas, en dominant la ligue et en jouant à profusion avec son équipe midget AAA. En plus, il va être avec une très bonne organisation.

— Mais y a personne ici qui comprend que pendant ces quatre à cinq minutes-là, en supposant que ça arrive, il va être pas mal plus utile qu'Archambault ou Lecours, même. Pis dans le midget, pensez-vous que Riopel va jouer la pédale dans le fond toute l'année ? Je pense pas, moi ! C'est toujours pareil avec les *kids* qu'on retourne dans le midget, ils se traînent les pieds en se disant qu'ils vont monter junior l'année d'après. Vous devriez le savoir, il me semble.

— Écoute, Rick, on passera pas la nuit là-dessus. Si tu veux garder Riopel, on est tous d'accord, mais faut que tu coupes Loiselle. Y aura pas deux jeunes de seize ans dans notre club cette année. Si tu tripes sur Riopel tant que ça, coupe le gros à la défense. On gagnera pas avec un club d'ados, tabaslack

— Arrêtez donc avec votre plan d'en garder juste un. C'est impossible de couper le gros Loiselle.

J'admets qu'il a pas eu un très bon camp d'entraînement, mais avec la *shape* qu'il a, je vous jure que je vais en faire un maudit bon joueur de hockey. Après les fêtes, on va avoir besoin d'un costaud comme lui à la ligne bleue. Faut le garder.

— Ben décide, Rick. Y en a un qui part pis un qui reste, ordonne Lafrenière.

— Crisse que tu m'énerves ! C'est toi, le boss, pis j'ai été assez cave pour te dire que j'étais d'accord avec ton plan avant que le camp commence. C'est beau. Vous avez gagné, on va couper Riopel. Je vais lui annoncer ça demain midi, après l'entraînement. *Anyway*, il va rester encore deux semaines avec nous autres pendant que les joueurs *draftés* seront partis à leur camp dans la LNH. Mais y a-tu moyen de le mettre sur notre liste de rappel au cas où on aurait des blessés ?

— Ben oui. Pis c'est certain qu'on va le suivre de près et l'encadrer. N'importe quelle autre année, on l'aurait gardé. Disons qu'il est victime des circonstances. On va lui annoncer ça ensemble demain… avec toi aussi, Denis.

— Parfait. Va surtout pas me l'échanger à Noël parce que je te jure que l'an prochain, ce mosus-là va être un de nos meilleurs attaquants, conclut Caisse avant de caler sa bière d'un trait.

Ignorant que son sort est déjà réglé et qu'il devra faire ses valises pour retourner à Louiseville, Félix flotte sur un nuage. Persuadé d'avoir fait ses preuves et d'être bientôt confirmé comme nouveau membre de la formation des Huskies, il éprouve un grand sentiment de fierté. En plus, il ne peut faire abstraction de l'importante somme d'argent que sa mère n'aura pas à débourser pour qu'il joue midget AAA. L'an passé, Line Bournival a été contrainte de puiser dans l'argent des assurances de son mari pour payer les frais exigés par l'organisation. Et ce n'est rien. Des amis à elle qui demeurent à Mascouche ont dû payer près de dix mille dollars pour que leur enfant joue au sein des Phénix de Crabtree.

C'est malheureusement la triste réalité: il faut être fortuné pour avoir le privilège de jouer dans le circuit midget AAA, et Félix sait trop bien que sa mère sera libérée d'un immense fardeau s'il reste avec les Huskies.

Avant de se coucher, il annonce la bonne nouvelle à ceux qu'il aime. Son mode de communication demeure le même qu'à l'habitude, un texto. C'est gratuit, c'est bref et ça évite les longues discussions inutiles qui ne mènent nulle part.

1 but, 1 passe. Meilleur marqueur du club après 2 games avec 5 pts. C'est sûr, j'reste. J'ai même signé des autographes ! Ennuyez-vous pas trop ! See u next year ! ☺

9.

Des chicanes à l'interne

Félix anticipait une certaine effervescence, pourtant c'est le calme plat lorsqu'il se pointe au vieil aréna de la rue Murdoch. Hier, après le match, on a demandé aux joueurs de se présenter à midi. L'entraîneur a expliqué que tout le monde participerait à la séance d'entraînement de treize heures et qu'ensuite, les gars défileraient à tour de rôle dans son bureau.

Même s'il n'est que onze heures, Félix est déjà arrivé. Il n'y a personne à l'aréna Iamgold. C'est même surprenant que la porte ne soit pas verrouillée. Quelle sensation magique que de se retrouver complètement seul dans un aréna ! Chaque fois que cela s'est produit, Félix s'est senti comme le propriétaire de l'endroit en se disant que ce devait être réellement cool d'avoir son propre aréna et d'y aller quand on voulait.

Un bruit de rondelle qui résonne lourdement contre la bande le sort de ses pensées. Curieux, il s'avance vers la patinoire et découvre avec stupéfaction que c'est Pavel Matejovsky qui s'exerce en solitaire. Dans le fond, ça ne le surprend pas vraiment. Le grand centre d'origine tchèque ne lui a pas encore adressé la parole. Félix pense avoir cerné le personnage et songe que ce n'est pas par hasard que les Capitals l'ont repêché dès la première ronde, l'année dernière. Il sera l'un des meilleurs joueurs de la LHJMQ cette saison.

Félix trouve qu'il a l'air d'un homme d'affaires. Alors que lui et tous les autres gars sont toujours habillés de façon décontractée pour se rendre aux entraînements, avec une casquette ou une tuque sur la tête, rarement rasés, Matejovsky porte des jeans propres et sa chemise est toujours convenablement rentrée dans son pantalon. Dans le vestiaire, c'est la même chose. Tout le monde jase et se tire la pipe. Les vétérans ont toujours mille histoires à raconter et font rire les gars. Le Tchèque de dix-neuf ans rit timidement à l'occasion, toutefois il est évident qu'il n'est pas là pour s'amuser. Félix n'a pas encore joué avec lui, mais il l'a observé. Hier soir après le match, la plupart des gars sont allés manger une poutine Chez Morasse et sont ensuite sortis au pub O'Toole. Il a remarqué que Matejovsky n'a pas suivi le groupe. Ce gars-là est le plus doué de l'équipe et, en plus, c'est lui le plus discipliné et le plus sérieux.

En outre, comme il est gros et fort, on dirait tout simplement un adulte parmi des adolescents. Il n'est donc pas très étonnant de le voir sur la glace si tôt.

Félix passe par le vestiaire, enfile des shorts, saisit un bâton et du ruban et s'en va au banc pour le saluer. Lorsque la vedette des Huskies aperçoit la recrue, elle arrête de faire des lancers et s'amène à sa rencontre.

— *Good morning, kid!*

— *Good morning,* Pavel, répond Félix, un peu nerveux, dans un anglais hésitant. *Glad to meet you.*

— *Glad to meeting you, bud.* Belle *game*, hier. J'aime comment toi joues au hockey. T'as les bonnes mains, un bon vision, un cœur gros et tu as l'intelligence de la *game*, commente Matejovsky dans un français plus que surprenant.

Félix ne peut réprimer un large sourire. C'est tout un compliment qu'il vient de recevoir, mais il y a aussi le fait que l'accent prononcé de son coéquipier l'amuse. On dirait qu'il se retrouve soudainement devant le boxeur Lucian Bute.

— Merci beaucoup, Pavel! Bravo à toi aussi, je savais pas que tu parlais aussi bien français.

— En Europe, on parle tous trois ou quatre langues. En plus de le tchèque, je parle aussi le allemand et le anglais. En Abitibi, j'ai appris le français. Je suis pas encore trop bon pour les verbes. *Anyway*, mets ton équipement et viens sur le patinoire. Il reste encore trente minutes et j'aimerais faire des *one-timers* mais je peux pas faire ça tout seul. *Hurry up, kid!*

À peine dix minutes plus tard, Félix est sur la patinoire avec Matejovsky. Ils rassemblent les rondelles en tas et la recrue fait des passes à répétition au Tchèque. Si seulement Carl pouvait voir ça! Un dimanche matin du mois d'août, le voilà qui s'entraîne avec un gars qui va jouer dans la LNH dans deux ans. L'an passé, à la même date, il se demandait s'il allait réussir à se tailler une place avec le midget AAA. Après une quinzaine de minutes, les deux joueurs inversent les rôles et c'est au tour de Félix de faire des tirs sur réception. Pas longtemps, car le vétéran met un terme à la séance peu de temps après.

— *Let's have a break before the practice.* Faut prendre un pause; ça va être un gros *practice* aujourd'hui. Tous les gars vétérans sont sortis hier soir et le coach le sait, dit tranquillement Matejovsky pour être certain que la recrue le comprenne bien malgré son fort accent.

— OK. Est-ce que ça te dérangerait si je prenais une petite photo de nous deux comme ça, ici, sur le bord de la bande, avec mon cell?

— *No way, kid.*

— *Sorry, Pavel? No picture?*

— Je veux un photo avec toi. Parce qu'on est amis, dans la même équipe. Je veux pas prendre le photo si c'est parce que je vais jouer dans la *NHL. If you think like that, you won't make it, kid. Never look at others as if they were much better then you. OK? Never do that.*

— Pavel... *I don't understand English.*

— Je dis, prends pas les photos avec des joueurs parce qu'ils sont bons. Si tu fais ça, tu dis que tu es pas aussi bon que le joueur. Si tu penses comme ça, tu seras jamais meilleur. Moi, à Washington, j'ai pas pris les photos avec Backstrom et Ovechkin, car c'est des bons joueurs de hockey, comme moi.

— OK... je pense que je comprends. Mais d'abord, je peux-tu prendre une photo avec Pavel, mon ami qui me donne des conseils?

— Mais oui. *Bring your telephone, bud!* Tu me texteras le photo tantôt.

Conscient de ce que Matejovsky vient de lui dire et bien d'accord avec lui, Félix vient de passer une demi-heure extraordinaire. Il se dit qu'il va apprendre énormément cette saison, à côtoyer un joueur de la trempe de Pavel. Avant de se diriger vers le vestiaire, il ne peut s'empêcher d'envoyer la photo à Carl avec un petit mot.

Voici à quoi ressemble ma nouvelle vie!

Ce moment d'extase tombe cependant vite dans l'oubli, car comme prévu les joueurs rencontrent tous la direction de l'équipe après l'entraînement. Convaincu qu'il a sa place avec les Huskies, Félix est littéralement assommé quand Richard Caisse lui apprend qu'il va retourner avec les Estacades.

— C'est pas que t'as pas été bon. C'est rare qu'on voie un jeune de ton âge s'illustrer comme tu l'as fait. Si on était égoïstes, on te garderait à Rouyn. Mais on veut que tu te développes et c'est mieux pour toi de retourner dans le midget, où tu vas être sur la glace plus souvent. Et en plus, ça va te donner une autre année pour prendre du poids, explique l'entraîneur sur un ton conciliant, mais ferme.

— Mais tu ne pars pas tout de suite, Félix, précise Dany Lafrenière. On a pas mal de gars qui s'en vont à leur camp pro, alors si ta mère est d'accord, tu vas rater une ou deux semaines d'école et on va te garder avec nous jusqu'à ce que les vétérans reviennent.

— Donc, tu vas t'entraîner toute la semaine avec nous. Tu joueras une des deux parties hors concours en fin de semaine prochaine, soit à Gatineau ou à Drummondville. Pis après, t'auras la chance de jouer trois ou quatre vraies *games* de saison régulière, renchérit l'entraîneur-chef.

Félix se retient pour ne pas éclater en sanglots. Quelle gestion ridicule! Il aurait le goût de leur dire de s'arranger sans lui, de se trouver un autre bouche-trou, et qu'il part sur-le-champ pour Louiseville.

Évidemment, il garde ses réflexions pour lui, mais il ne peut complètement camoufler sa rage.

— En plus, il y a toujours des blessés dans l'année, donc c'est possible qu'on te fasse revenir, poursuit le directeur général. Et dans le temps des fêtes, y a le Championnat du monde, et quelques-uns de nos gars vont s'absenter, alors c'est probable qu'on te rappelle pour une semaine ou deux. Faut juste que tu continues de travailler fort pis surtout, et c'est encore plus important, que tu gardes une belle attitude.

— As-tu des questions, Riopel? lui demande Caisse en guise de conclusion.

— Ça va paraître bizarre, mais si je suis pour jouer des vrais matchs pour les Huskies, est-ce que je pourrais avoir un autre numéro? J'ai l'intention de vous prouver que vous vous trompez pis j'ai pas envie de passer l'année ici avec un numéro de Nascar dans le dos.

— Ouais, pas de problème. Je vais dire à Chico qu'il t'arrange ça demain après-midi avant l'entraînement, lui répond Lafrenière. De toute façon, puisque tu vas pas à l'école avant une dizaine de jours, tu pourras arriver ici à l'avance demain, car les autres joueurs feront leur entrée au cégep. La glace et le gym sont disponibles, si tu veux venir passer le temps à l'aréna. Je vais téléphoner à madame Casault pour lui confirmer qu'elle va t'héberger encore deux ou trois semaines.

En sortant du bureau, Félix ferme la porte délicatement et marche avec désinvolture. Il ne veut parler à personne. Il n'a pas le goût de rentrer chez les Casault. Il n'a même plus envie d'être un Huskie. Dans le fond, il le savait avant même d'arriver au camp, les dés étaient pipés d'avance. Même s'il avait marqué dix buts contre les Foreurs, la décision était déjà prise de le retourner dans le midget. C'est encore plus clair qu'avant. Richard Caisse ne veut rien savoir des petits joueurs. Si seulement il pouvait se faire congédier! Peut-être que le nouveau coach lui donnerait sa chance.

Heureusement qu'il a attendu d'avoir un autre numéro que le 86 pour s'ouvrir un compte Twitter, car il aurait peut-être fait une gaffe cette journée-là. Il se contente donc de texter sa mère, sa sœur, sa blonde et Carl.

> Le meilleur marqueur du club est coupé.
> C une bande d'incompétents. Connaissent
> pas le hockey ici. Sont cons. Sont caves.
> Peuvent ben vivre ds l'bois.

Même pas trente secondes après, le téléphone sonne. C'est sa mère. Félix n'a pas le goût de lui parler, de tout lui expliquer de A à Z ni de répondre à ses nombreuses questions.

> Désolé gang. J'ai pas le goût de parler. Je reste 3 semaines encore. Mom, j'te call après souper. Sont vrm caves, les Huskies.

Plus il y pense, plus Félix bout. Finalement, plutôt que d'errer en solitaire dans les rues de Rouyn, il décide de rebrousser chemin et de rentrer chez les Casault pour se changer et aller courir en écoutant du AC/DC. Ça va sans doute l'aider à faire passer cette frustration qui l'habite. Et ça serait certainement encore pire s'il savait qu'à ce moment précis, Lafrenière et Caisse félicitent officiellement leur nouvelle recrue de seize ans, le défenseur Cédrick Loiselle.

Une course d'une dizaine de kilomètres, une succulente lasagne préparée avec amour par madame Casault, une longue conversation téléphonique avec sa mère, un entretien plus bref avec Emma et une bonne nuit de sommeil ont ramené Félix dans un meilleur état d'esprit.

Les articles que lui a imprimés Ginette Casault ont aussi contribué à lui remonter le moral, car tout le monde critique la décision des Huskies de l'avoir retranché et d'avoir choisi Cédrick Loiselle. Un journaliste d'expérience avance même qu'il est peut-être supérieur à Mike Ribeiro, au même âge.

«Tiens-toi bien, Richard Caisse!» songe Félix.

Comme il s'apprête à quitter sa pension, Jacques Casault l'intercepte et lui dit:

— Moi, si j'étais à ta place, je serais vraiment frustré, Félix. Je suis content de voir que tu sembles bien le prendre.

— J'essaie de pas trop le montrer, mais je suis fâché en maudit. Mais ça donnerait quoi de faire la baboune ici? C'est pas votre faute si Richard Caisse m'aime pas.

— Justement, essaie de rester positif et d'avoir la même attitude avec eux. Les gens des Huskies aiment pas les petits chialeux. Essaie de leur montrer que t'es capable d'attendre ton tour.

— Ma mère m'a dit la même chose, monsieur Casault.

— Dis-toi une chose, Félix. Le plus important, c'est pas où tu vas être le premier octobre. Le plus important, c'est où tu vas être dans un an d'ici, au début de la saison de ton année de *draft*. Pis ça, ça t'appartient.

Sur le chemin de l'aréna, Félix se dit que son père lui aurait fait exactement la même réflexion. Mot pour mot. Il est vraiment chanceux d'avoir rencontré un homme aussi gentil que monsieur Casault. L'an prochain, il aura sans doute un agent, et vivre chez les Casault sera une de ses exigences avant de se présenter au camp. En pensant à son père, aux Casault, aux articles de journaux, il se sent serein. Quand même, quelle semaine d'émotions en montagnes russes!

Positif, il se présente donc à l'aréna et va immédiatement à la rencontre de Chico, le préposé à l'équipement. L'homme se nomme Daniel Corriveau, mais la moitié des gens qui le connaissent à Rouyn et tout le monde dans la LHJMQ ne savent que son surnom. Chico propose à Félix d'endosser le chandail numéro 57.

— C'est encore un numéro de Nascar, mais c'est le numéro de David Perron avec les Blues, et y a jamais personne qui l'a porté avant aujourd'hui à Rouyn.

Comme si Chico avait besoin de préciser que Perron porte le numéro 57! Le problème est réglé, Félix Riopel va jouer avec le 57. Et ce soir, il va se créer un compte Twitter au nom de @Rippy57.

Le choc maintenant encaissé, la semaine se déroule relativement bien pour Félix. Les entraînements se tiennent toujours vers treize heures puisque les vétérans qui vont à l'école sont tous à leurs cours au cégep en avant-midi. Tous les matins, il arrive à l'aréna Iamgold vers dix heures où il suit toujours la même routine. Il saute sur la glace en solitaire pour une vingtaine de minutes, va au gym une bonne demi-heure, puis prend une douche et retourne à sa pension pour manger. Il savoure pleinement ces petits moments où il a l'impression d'être le propriétaire de l'amphithéâtre et il trouve assez curieux de voir que pendant ce temps, Loiselle préfère rester à sa pension.

Le jeudi, après l'entraînement, les Huskies partent en autobus pour Gatineau où l'équipe va dormir en prévision du match de vendredi soir. Perdu dans ses pensées, comme à l'habitude, Félix écoute de la musique, les yeux fermés. Pendant ce long trajet, il se tape les deux albums de Bob Bissonnette. Il aime bien constater que Matejovsky agit de la même manière alors que la plupart des autres regardent un film sur leur ordinateur portable ou jouent aux cartes à l'arrière du bus.

Le vendredi soir, les Huskies disposent facilement des Olympiques au compte de 6 à 2. Assis dans les gradins, Félix voit Matejovsky marquer un but et amasser trois mentions d'aide.

Le samedi soir, à Drummondville, Richard Caisse lui donne la chance de disputer un troisième match préparatoire, un premier avec le grand Tchèque. Félix n'effectue qu'une brève présence avec Matejovsky, lors d'un avantage numérique. Rouyn l'emporte à nouveau, cette fois 5 à 4. Le petit numéro 57 joue moins souvent que lors des deux premières rencontres, mais malgré tout, il obtient une passe dans la victoire des siens.

Après le match, pour la première fois en près de deux semaines, il a l'occasion de voir sa famille et ses amis. Line et Véro ont fait le trajet avec Carl et Paul. Ce dernier est aussi accompagné de sa belle Vicky, qui détient dorénavant le statut officiel de nouvelle copine. Malheureusement, Emma n'a pas pu se déplacer à Drummondville, car son nouveau groupe de musique se produit en même temps, dans un centre de jeunesse à Shawinigan. La réunion est de courte durée, car l'autobus s'en va rapidement après la partie puisque les Huskies rentrent immédiatement en Abitibi.

10
@Rippy57

Même si l'entraîneur-chef a multiplié les expériences, les Huskies ont connu un calendrier présaison très intéressant. À travers la LHJMQ, la plupart des experts s'entendent pour dire que le club de Rouyn-Noranda devrait amasser plus de cent points pour une deuxième année consécutive. Cependant, ces mêmes experts s'attendent aussi à un départ difficile pour les Huskies, car le tiers des porte-couleurs de l'équipe seront absents puisqu'ils seront à des camps professionnels.

Sept joueurs vont s'absenter en ce début de saison. Outre Pavel Matejovsky, qui sera à Washington, Richard Caisse devra aussi se passer de trois autres attaquants : le capitaine Marc-Olivier Laflamme sera au camp des Penguins de Pittsburgh, Milan Isner, à celui des Sharks de San Jose, et Xavier Neveu a été invité au camp des Bruins de Boston.

À la ligne bleue, les Huskies devront essayer de se tirer d'affaire sans Justin Bishop, qui séjournera à Dallas, et sans Éric Boisvert, qui ira à Philadelphie. Finalement, le bouillant gardien Dean Perron en sera à un deuxième camp avec les Hurricanes de la Caroline.

Malgré ses succès en matchs préparatoires, Félix s'est résigné à rejoindre les Estacades d'ici quelques semaines. En attendant de rentrer à la maison, il savoure son expérience, mais il prépare aussi son retour en août de l'an prochain en commençant déjà à se lier d'amitié avec le plus de personnes possible. Futés, les vétérans ont tous réalisé qu'il sera une des pierres angulaires de l'attaque la saison prochaine, alors tout le monde l'accepte plutôt bien. Si son côté arrogant et baveux passe difficilement avec les adolescents de son âge, les plus vieux le trouvent drôle.

Que Félix se sente de plus en plus à l'aise dans le vestiaire des Huskies ne veut pas pour autant dire qu'il aime davantage la compagnie de Cédrick Loiselle. C'est difficile à imaginer, mais leur relation s'est même envenimée. Depuis qu'il a lui-même été confirmé au sein de l'équipe, le gros défenseur appelle Félix « Midget » chaque fois qu'il le croise. Comme Félix pense avoir perçu que l'attitude de Loiselle ne plaît pas à tous les vétérans, il ne dit pas un mot.

Les Huskies s'apprêtent à disputer deux parties préparatoires à l'extérieur : une à Chicoutimi le vendredi soir puis une autre à Québec le lendemain, en fin d'après-midi. Compte tenu de l'absence de sept joueurs de premier plan, Richard Caisse n'a pas le choix de donner plus de responsabilités aux jeunes. Placé au centre du deuxième trio, Félix s'est entraîné toute la semaine sur la première vague de l'avantage numérique.

Les Saguenéens ne font qu'une bouchée de leurs rivaux qu'ils humilient 9 à 2. Comme tous ses coéquipiers, Félix ne paraît pas tellement bien lors de cet affrontement. Les Huskies s'inclinent à nouveau le samedi soir à Québec, cette fois par la marque de 6 à 4. Dans la défaite, le petit joueur de centre de seize ans s'impose comme l'un des meilleurs de son camp avec un but et une passe.

Sur le chemin du retour, sur l'autoroute 40 entre Québec et Montréal, quand l'autobus défile devant Louiseville, le jeune se sent tout à coup pris de nostalgie. Pour la première fois depuis son départ pour Rouyn, il aimerait être à la maison. Il se trouve si près de chez lui, mais il se sent tellement loin… Même s'il est presque vingt-trois heures, il sait que Carl ne dort pas et il espère qu'il répondra à son message texte.

> Je passe en face de Lville. J'ai hâte de te voir Big. 1-1-2 à soir à Qc.

Comme les lumières sont éteintes et que des gars dorment dans l'autobus, Félix a placé son cellulaire sur le mode vibration. Espérant une réponse rapide de son meilleur ami, il garde le téléphone dans ses mains et il fait bien puisque Carl lui répond dans les secondes qui suivent.

> Platte que vous arrêtiez pas ;-) Le camp du BB a commencé à soir. Super bien été aussi. ☺

Les deux amis échangent ainsi pendant une bonne heure. C'est la première fois qu'ils communiquent autant. C'est qu'en quittant Louiseville, Félix a voulu couper les ponts afin de tourner la page plus facilement. Au fil des textos, Carl lui explique en détail que, selon lui, il a de très bonnes chances de rester au sein du midget BB. Il lui apprend aussi que Vicky Lavigne va emménager chez lui d'ici quelques semaines et qu'il a embrassé la belle Audrey Gamache la veille, dans un party chez Pit Lavoie. Félix, lui, raconte qu'il travaille fort pour laisser une bonne impression avant de rentrer. Mais il est surtout très heureux de lui apprendre que Loiselle a déjà foutu la pagaille à Rouyn en se montrant trop insistant auprès de la fille de quatorze ans des Gravel, les gens chez qui il vit en pension. Il s'en est fallu de peu qu'il se retrouve avec Félix chez les Casault, mais heureusement, Dany Lafrenière a réussi à lui dénicher une autre famille d'accueil.

Carl réplique qu'il n'est pas vraiment surpris. Il salue Félix en lui disant qu'il a bien hâte de le voir.

Alors que Félix est sur le point de s'endormir, une autre vibration de son téléphone le sort des limbes.

> Congrats *kid*. I saw the boxscore. Garde des buts pour la semaine prochaine !

Félix se frotte les yeux. Ce n'est pas Carl, mais Pavel Matejovsky. Il n'en revient pas que l'attaquant vedette des Huskies se donne la peine de l'encourager pendant qu'il est à Washington. Il se demande même s'il doit lui répondre. Sa réflexion ne dure pas trop longtemps et il échange quelques textos avec l'espoir tchèque avant de refermer les paupières. En essayant de trouver le sommeil, il se dit que la vie est assez bizarre parfois. Il vient de jaser avec un gars qui est au camp des Capitals de Washington en compagnie d'Alex Ovechkin et dans deux semaines environ, il sera de retour dans le midget AAA.

La saison régulière débute le week-end qui vient dans la LHJMQ et d'ici là, la direction des Huskies ne s'attend à revoir aucun des sept joueurs partis à des camps d'entraînement de la LNH. D'ailleurs, toutes les formations du circuit Courteau seront privées de quelques éléments clés en début de calendrier.

Chaque jour, Richard Caisse tient des séances d'entraînement exigeantes et toujours plus techniques. Félix découvre que ce gueulard sans manières possède de très grandes connaissances en matière de hockey et il l'apprécie de plus en plus, même s'il croit que l'entraîneur ne l'aime pas. De toute façon, il ne peut guère se plaindre du coach, car depuis le match de samedi à Québec, il s'entraîne même sur la première unité de l'avantage numérique.

Si le temps fuit rapidement quand il se retrouve à l'aréna ou au gymnase, Félix trouve les journées très longues quand il n'y a pas de match. Les Huskies se sont entendus avec son école en Mauricie et il fera sa rentrée scolaire seulement lors de son retour avec les Estacades. Il est le seul joueur dans cette situation de sorte qu'il a beaucoup de temps libre. Heureusement qu'il a apporté sa Xbox.

Cette année, les Huskies vont entamer leur saison à domicile pour la première fois en quatre ans. Félix aurait préféré que son baptême officiel se fasse sur la route, car la semaine aurait passé plus vite. L'attente est interminable. C'est encore pire parce qu'on ne lui dit rien. Il n'a aucune idée de la date de son départ pour Louiseville et ça l'angoisse.

Le vendredi matin, à son réveil, Félix est plein d'entrain et d'énergie. Enfin, il va disputer un premier vrai match dans la LHJMQ. Peu importe ce qui se produira dans la vie, personne au monde ne pourra jamais lui ôter ça. Dans vingt ans, il pourra dire qu'il a déjà porté les couleurs des Huskies et il y aura des traces sur Internet pour prouver qu'il ne ment pas.

Après un entraînement matinal très léger, il est de retour chez les Casault où un bon repas l'attend. Jacques, qui ne travaille jamais le vendredi, mange avec lui et en profite pour lui expliquer à quel point les gens de Rouyn-Noranda sont fiers de leurs Huskies et que ce soir, l'aréna Iamgold sera rempli au maximum. Félix sait déjà tout ça, mais de voir cette étincelle dans les yeux de monsieur Casault le rend encore plus fier. Car même s'il n'a pas atteint son objectif de se tailler une place dans l'équipe, ce soir, il va tout de même franchir une étape incroyable en prenant part à un premier match junior majeur.

Curieusement, malgré la nervosité qui commence à le gagner, Félix s'endort rapidement. Il n'est pas encore un adepte de ces petites siestes d'après-midi qui font partie du quotidien des joueurs de hockey et il ne reste donc pas couché très longtemps.

À quinze heures, assis sur son lit, il est déjà habillé, prêt à partir pour l'amphithéâtre. Il ne lui reste qu'à nouer sa cravate. C'est sa cravate chanceuse. Elle appartenait à son père et il ne la porte que pour les parties vraiment très importantes. C'est elle qu'il avait au cou en juin dernier à Drummondville, au repêchage. Si son père était là, comme il serait fier aujourd'hui ! Félix ne peut s'empêcher de verser quelques larmes. Il aimerait vraiment qu'André soit là pour le voir sauter sur la patinoire avec le chandail des Huskies, sous les applaudissements d'une foule en délire.

Mais son père est mort et il n'est plus là. Il ne le voit pas, il ne l'entend pas. Ce soir, son père ne sera pas dans les gradins. Même si sa mère et sa sœur seront présentes, cela ne changera rien à l'absence de son père. Si jamais, ce soir ou dimanche, il comptait un but, Félix sait ce qu'il ferait avec la rondelle. Il la conserverait pour l'enterrer juste en face de la pierre tombale de son père, dans le cimetière, à Louiseville.

Il n'a pas le temps de réfléchir plus longtemps à la vie et surtout à la mort. Il doit filer. Il a donné rendez-vous à sa mère et à sa sœur à seize heures à l'aréna. À son arrivée, il se rend compte qu'il a bien fait de se dépêcher, car elles sont déjà dans le stationnement.

— Merci, mom, d'être là pour ma première *game*! Merci aussi, Véro!

— Franchement, ne me dis surtout pas merci! Ça nous fait une sortie entre filles et en plus, on n'a jamais visité Rouyn, répond Line en riant.

— Vous êtes pas venues pour le fun. Regardez-moi aller ce soir, je vais me forcer. Même s'ils me retournent chez les midgets, je sais que je suis en masse capable de jouer dans cette ligue-là.

— Emma et Carl te font dire salut, en passant, intervient Véronique.

— Je sais que Carl aurait aimé venir avec vous, mais il a du hockey en fin de semaine. Mais Emma? Je pensais qu'elle viendrait avec vous, soupire Félix en regardant sa mère.

— Véro l'a textée pour lui dire qu'on venait et qu'il y avait de la place pour elle. Moi, ça ne m'aurait pas dérangée de l'emmener.

— Ouais… je le sais. Je suis même plus certain qu'on sorte encore ensemble.

— Pourquoi tu dis ça, le frère? Vous êtes encore en couple sur Facebook. T'es-tu fait une autre blonde ici? Tu vas la laisser parce que tu joues junior?

— Ah ! Arrête de dire des niaiseries. C'est même pas de tes affaires, pis en plus, je parlais à mom.

— OK, c'est beau, vous deux, intervient Line. C'est pas le temps de se chicaner. Va te préparer pour ta partie, nous deux, on va aller manger. Paraît qu'à côté, Chez Morasse, y a les meilleures poutines de l'Abitibi.

— Y paraît, mais je les ai pas encore essayées ! Quand vous aurez récupéré vos billets, textez-moi où vous serez assises. Ils sont à mon nom à la billetterie.

— Promis ! Bon match, mon grand. Je t'aime ! s'exclame Line en s'éloignant avec Véro vers le restaurant.

En entrant dans l'aréna, Félix est surpris de voir qu'il y a déjà passablement d'action. On s'affaire à placer des t-shirts et des casquettes à la boutique de souvenirs, l'annonceur maison répète la présentation d'ouverture en compagnie du DJ, deux employés lavent les baies vitrées, Dany Lafrenière parle au téléphone dans le hall d'entrée et Chico aiguise des patins au vestiaire. À seize heures dix, Félix est le premier joueur sur place. Il enlève son habit, met son survêtement puis prend majestueusement son chandail numéro 57, le regarde avec orgueil, l'enfile, va s'asseoir seul dans le haut des gradins avec un bâton et twitte :

Félix Riopel@Rippy57

Première vraie game à soir. Chandail #57 en l'honneur de @DP_57. Go Huskies Go #ReadyToPlay

Pour ce match inaugural, les Huskies accueillent l'Armada de Blainville-Boisbriand, un club en reconstruction qui ne devrait pas connaître une grande saison. Gonflée à bloc par une foule en délire, la bande de Richard Caisse profite des largesses du gardien adverse pour remporter ce premier duel de la saison au compte de 4 à 3. Félix dispute un très bon match et récolte même une mention d'aide sur le troisième filet de son équipe, un but marqué en supériorité numérique.

Le lendemain matin, Line et Véronique déjeunent chez les Casault qui les reçoivent chaleureusement tout en leur faisant promettre de ne plus retourner coucher à l'hôtel lorsqu'elles reviendront à Rouyn-Noranda. L'invitation tient aussi pour la soirée qui vient, mais Line a prévu de retourner tout de suite à Louiseville, sans rester pour la partie de dimanche après-midi. Elles repartent avec deux gros sacs de vêtements, Félix ne gardant qu'une petite valise et son inséparable Xbox.

Elles ont bien fait de ne pas s'attarder en Abitibi pour la joute du dimanche. Félix et ses coéquipiers s'inclinent 7 à 1 face au Drakkar de Baie-Comeau.

Malgré tout, le jeune attaquant ne paraît pas trop mal dans la défaite. Il n'obtient aucun point, mais un de ses tirs a frappé un poteau et il ne s'est retrouvé sur la glace lors d'aucun but de l'ennemi. Toutefois, comme prévu, son séjour en Abitibi tire à sa fin, car plus tôt dans la journée, l'attaquant Xavier Neveu et le défenseur Éric Boisvert ont été retranchés des camps professionnels sans avoir la chance de participer à un match préparatoire.

Quand il a appris la nouvelle du retour des deux vétérans, Félix s'est dit que sa mère aurait mieux fait de rester et qu'il aurait pu rentrer avec elle plutôt que de se taper le trajet en autobus, lundi matin. Après la partie, il est donc très surpris de découvrir que chez les attaquants, ce n'est pas lui qui est retranché, mais plutôt Olivier Gauthier, un gars de dix-sept ans qui était aussi avec l'équipe par mesure d'urgence.

Par conséquent, Félix devrait porter l'uniforme des Huskies pour au moins trois autres matchs, car le club entreprendra mardi un voyage dans les Maritimes avec des escales à Moncton, à Halifax et au Cap-Breton.

Comme l'horaire est chargé, Félix n'a pas le temps de s'ennuyer cette semaine-là. En plus, il n'est jamais allé dans les Maritimes de sa vie, alors il est emballé à l'idée de se rendre dans ce coin de pays avec les Huskies. Et on dirait qu'il n'y a que de bonnes nouvelles autour de lui. Sa mère a obtenu le poste d'infirmière dont elle rêvait. Carl vient d'être confirmé comme sixième et dernier défenseur avec le midget BB, Matejovsky a marqué deux buts dimanche soir contre les Bruins et, surtout, Emma lui a envoyé un courriel qu'il n'attendait plus. En gros, sa belle Colombienne regrette de ne pas être allée à Rouyn et elle a l'intention de faire la paix avec sa mère. Elle lui répète à quel point il lui est difficile d'être loin de son amoureux et qu'elle se meurt d'ennui.

Le jeudi soir, au Colisée de Moncton, Félix s'éclate face aux Wildcats. Dès sa deuxième présence sur la patinoire, il saisit un rebond de Xavier Neveu pour marquer et donner les devants aux Huskies grâce à son premier but en carrière dans la LHJMQ. Il ajoute un deuxième filet en début de troisième avec une feinte magistrale lors d'une échappée. Il gonfle ses statistiques individuelles en amassant une passe, en toute fin de partie, quand Neveu enregistre le quatrième but des visiteurs, en route vers un triomphe de 5 à 2.

Lorsque Félix sort de la douche, Chico lui donne la rondelle de son premier but. Le préposé à l'équipement a pris soin de placer un ruban blanc autour, sur lequel il a inscrit « Premier but LHJMQ ». Avec son téléphone, Félix prend une photo qu'il publie sans perdre de temps sur Twitter et sur Facebook, tout en ajoutant qu'il a aussi été nommé troisième étoile de la partie!

Le lendemain, au Metro Center d'Halifax, Félix récidive. Cette fois, il enfile le seul but des Huskies quand il fait habilement dévier un tir de la pointe. Toutefois, c'est dans une cause perdante puisque les Mooseheads l'emportent 3 à 1.

Le dimanche après-midi, au Centre 200 du Cap-Breton, les Huskies s'inclinent à nouveau, cette fois par la marque de 4 à 0. La troupe de Richard Caisse présente un dossier cumulatif de deux victoires et trois échecs. Avec trois buts et deux passes en cinq rencontres, Félix Riopel trône au classement des marqueurs de son équipe. Il n'est tout de même pas question que les dirigeants du club dérogent à leur plan.

Les vétérans reviendront tous de leur camp cette semaine. Ce n'est peut-être pas juste, mais l'aventure est terminée comme prévu pour le *kid* de seize ans.

Après une journée de congé le lundi, Richard Caisse convoque tout le monde pour un entraînement punitif, annoncé d'avance au retour de l'équipe en Abitibi. Les Huskies n'ont marqué qu'un seul but lors des deux derniers matchs et l'entraîneur n'a pas du tout apprécié. Le capitaine Marc-Olivier Laflamme, Milan Isner, Justin Bishop et Dean Perron reviennent à un bien mauvais moment!

Félix comprend pourquoi Caisse a une si mauvaise réputation à travers la ligue. Après seulement deux semaines d'écoulées au calendrier et cinq parties de jouées, voilà qu'il pète les plombs. Dire qu'il commençait presque à le trouver sympathique. Le coach garde ses joueurs sur la patinoire pendant près de deux heures et il ne dirige aucun exercice avec des rondelles. Toute la séance d'entraînement est axée uniquement sur le patin. Félix se défonce en se disant qu'il s'agit probablement de son dernier entraînement de la saison à Rouyn-Noranda.

De retour au vestiaire, les gars sont exténués. Même les vétérans qui arrivent des camps de la LNH ont trouvé la séance difficile. Personne ne parle. En sueur, les joueurs regardent tous par terre en reprenant leur souffle. Comme tout le monde, Félix est épuisé. Le regard fixe, perdu dans ses pensées, il revient soudainement sur terre quand il constate qu'il ne voit plus la rondelle de son premier but dans le fond de sa poche d'équipement. Pris de panique, une bouffée de chaleur l'envahit et il se jette sur ses genoux pour vérifier qu'elle n'a pas disparu. Il a beau fouiller et fouiller, sa rondelle n'est plus là.

— C'est-tu ça que tu cherches ? lance Loiselle en riant aux éclats, à l'autre bout du vestiaire.

Pris de rage, sans réfléchir, Félix bondit et se précipite furieusement sur le gros défenseur. Il lui assène trois ou quatre coups directement au visage avant que Loiselle ait le temps de réagir et que les autres joueurs interviennent. Évidemment, un pareil vacarme attire l'attention de Caisse qui se précipite en hurlant dans le vestiaire pour mettre promptement fin à ce cirque.

— J'ai besoin de ça d'abord ! Deux bébés de seize ans qui se battent en patins dans le vestiaire ! Ça a-tu l'air d'une garderie icitte ? Vous avez pas dépensé assez d'énergie sur la glace ? Loiselle, Riopel, vous viendrez me voir demain à mon bureau, avant l'entraînement. Loiselle, viens à midi, pis toi, Riopel, viens à treize heures.

Les autres gars ont déjà vu Richard Caisse en colère, mais pas les deux jeunots. Félix reprend sa rondelle et va s'asseoir à sa place en se disant que de toute façon il va rentrer à la maison le lendemain en fin d'après-midi par le bus de dix-sept heures.

11

L'effet domino

Personne ne sait que, sur l'heure du dîner, environ une heure trente avant la séance d'entraînement, Richard Caisse avait appris une terrible nouvelle, ce qui, sans l'excuser, explique à tout le moins la raison pour laquelle il était d'une humeur massacrante.

Quand l'entraîneur-chef était arrivé à l'aréna, Dany Lafrenière l'attendait, assis dans son bureau, l'air complètement abattu et décontenancé.

— Ça va mal, Rick. Je viens d'apprendre une très mauvaise nouvelle, avait annoncé le directeur général.

— Je vois ça, c'est écrit dans ta face. C'est-tu des affaires personnelles ou des problèmes de hockey?

— Des problèmes de hockey. Imagine-toi donc qu'Alexander Ovechkin s'est déboîté le genou hier contre Columbus et qu'il va être *out* pour environ cinq à six mois.

— Pis c'est quoi le problème ? Tu l'as dans ton pool ?

— Ben non, gros épais ! Washington a décidé de garder Matejovsky.

— C'est pas vrai ! Jure-le ! s'était écrié Caisse qui, à ce moment, avait l'air tout aussi découragé que son vis-à-vis.

— Je niaise pas. Je viens juste de recevoir l'appel de McPhee, le DG des Caps. L'agent de Matejovsky m'a téléphoné juste après. Washington est dans le pétrin autant que nous. Y vont peut-être essayer de faire un échange, mais c'est sûr qu'ils gardent le *kid* en haut.

— Voyons, Dan, Pavel est pas encore prêt à faire le saut dans la Ligue nationale ! Je veux bien croire que c'est un gros bonhomme, mais il a pas encore la maturité physique pour jouer dans le show tout de suite.

— Quand bien même on en parlerait jusqu'à demain matin, on n'a pas un mot à dire là-dedans. Y va falloir trouver une solution de notre bord, parce que comme c'est là, on est dans la merde jusqu'au cou.

— Vite de même, je dirais qu'on a juste à garder le jeune Riopel. C'est notre meilleur marqueur après cinq parties. Bon, il pèse tout juste cent cinquante livres… mais on n'a pas le choix, on va le faire travailler fort dans le gym pour qu'il prenne un peu de masse musculaire.

— Écoute, Rick, avec ou sans Pavel, je persiste à croire qu'on a le club pour aller à la Coupe Memorial. Si tu gardes Riopel, va falloir que tu coupes Loiselle. Il faut pas changer notre plan parce qu'on perd notre meilleur joueur. À Pittsburgh, Dan Bylsma a gagné sans Crosby quand il était blessé, on va gagner sans Matejovsky.

— Arrête avec Crosby pis Bylsma, on parle pas de la même ligue, sacrement.

— On parle pas du même coach non plus, avait lancé Lafrenière en riant pour essayer de détendre l'atmosphère.

— C'est certain que t'as raison, Dan. C'est peut-être pas la fin du monde, mais c'est un méchant tsunami. Qu'est-ce que tu dirais qu'on s'en reparle demain matin ? Je vais y réfléchir, mais je pense qu'on devrait garder Riopel pis retourner l'autre dans le midget. C'est ça qu'on aurait dû décider y a deux semaines. Sacrement, la saison vient juste de commencer, pis en dehors de la patinoire, Loiselle a demandé autant de gestion que tout le reste du club. Il a fallu que tu lui trouves une autre pension parce qu'il a tripoté la fille de madame Gravel pis moi, je l'ai pogné à sauter un couvre-feu. En le retournant dans le midget, je pense qu'on lui donnerait une maudite bonne leçon et que ça lui rendrait service. Si ce *kid*-là pouvait améliorer son attitude, y aurait de quoi de bon à faire avec lui, mais en attendant, il me fait chier. Pis en plus, c'est le moins en forme de toute la gang.

— T'as probablement raison, Rick. Regarde ça avec tes entraîneurs et on s'en reparle demain matin. En attendant, ferme ta gueule avec cette histoire-là, parce que les Caps l'ont pas encore annoncée. McPhee a de la classe en maudit de nous avoir appelés, pis s'il a fait ça, c'est parce qu'il sait que nous autres, on s'en allait à la Coupe avec Pavel. Il veut nous donner le temps de nous virer de bord si on a des échanges à faire.

— Lâche-moi la classe, là. Veux-tu que je l'appelle pour lui dire merci ?

Richard Caisse oublie souvent que les jeunes sont fragiles à dix-sept ou dix-huit ans. Ils sont costauds, ils ont de la barbe, ils agissent avec assurance et ont réponse à tout, mais intérieurement, ils ne sont pas différents des autres garçons de leur âge. C'est une de ses faiblesses au niveau du coaching. Quand il a rencontré son patron au déjeuner, ce dernier lui a poliment rappelé de ne traumatiser personne.

Conscient qu'il ne doit pas s'emporter et qu'il devra bien choisir ses mots, Caisse n'a pas l'intention de se défouler sur Cédrick Loiselle lorsqu'il se pointera dans son bureau, à midi. De toute façon, il mérite une leçon et Riopel mérite de jouer junior, alors ça fait son affaire de l'envoyer à Trois-Rivières. Si la gifle au visage a l'effet escompté, Loiselle en sortira grandi. En raison de son physique avantageux et de son père fortuné, le gros défenseur a toujours tout eu, tout cuit dans le bec.

Quand l'entraîneur lui explique que l'aventure vient temporairement de se terminer, Loiselle éclate en sanglots comme un gamin. Caisse a beau lui expliquer que c'est une situation compliquée et délicate qui implique un autre défenseur et que d'autres changements vont aussi survenir à l'attaque, le jeune homme n'écoute plus rien. Son rêve vient de s'envoler en fumée et il sait qu'il a été l'artisan de son propre malheur. Il sait aussi que cette fois, son père ne pourra pas venir à sa rescousse avec une généreuse commandite. Pour une rare fois dans sa vie, Cédrick Loiselle se sent *loser*.

— Je t'ai fait venir ici avant tout le monde justement pour pas que les autres te voient comme ça. Pour le moment, y a juste mes adjoints, monsieur Lafrenière et Chico qui sont au courant. Va ramasser tes affaires et garde une belle attitude, on sait jamais comment les choses peuvent changer vite dans la vie… Toi aussi, y faut que tu changes, mon chum. Si tu reviens ici l'an prochain avec le même style, tu vas refaire le même chemin.

— Pas de problème, coach. Je comprends ça. Merci quand même. Ah pis, soyez pas surpris, je pense que mon agent va vous téléphoner quand il va apprendre la nouvelle.

— Dis à ton agent qu'il me sacre la paix, réplique Caisse en haussant la voix pour la première fois. Si jamais il m'appelle, je vais lui donner le numéro de téléphone de madame Gravel pis y jasera avec elle. Elle va lui expliquer que tu lâchais pas sa fille de quatorze ans. Ça te tente-tu ? Je pense pas. Donc, va voir Chico pis ramasse tes affaires avant que le troupeau arrive. Dany Lafrenière va te prendre dans l'entrée dans dix minutes pour aller chercher le reste de tes affaires à ta nouvelle pension et aller te déposer au terminus.

À treize heures, c'est Félix qui se présente au bureau des entraîneurs. Il est persuadé que c'est aujourd'hui que la belle histoire se termine et il n'est pas fâché de rentrer à Louiseville. D'ailleurs, ses valises sont prêtes. Seule ombre au tableau, il est convaincu qu'il va se faire enguirlander par Richard Caisse et il aurait certainement préféré partir sur une note positive.

En entrant dans le petit bureau, Félix prend l'initiative de la conversation.

— Merci, coach, pour la belle aventure. J'ai vraiment adoré mon camp et je m'excuse sincèrement d'avoir pété les plombs hier, après l'entraînement.

— Ouais, c'était pas fort, ça, Riopel. Veux-tu m'expliquer ce que t'avais d'affaire à sauter sur un de tes coéquipiers comme un fou ? En plus, on parle d'un gars qui pèse à peu près soixante-quinze livres de plus que toi.

— Je le sais que c'est bébé, mais il m'avait volé la rondelle de mon premier but dans la LHJMQ.

— T'as raison. C'est bébé en ostie, ça.

— Mais l'affaire, coach, c'est que cette *puck*-là, je la gardais pour mon père. Mais pas mon père directement, parce qu'il est mort. Je la gardais pour aller l'enterrer sur sa tombe au cimetière. C'était un symbole pour le remercier parce que je sais qu'il serait vraiment fier de moi pis qu'il aurait sûrement même braillé en me voyant jouer ma première partie junior. Quand j'ai vu que Loiselle l'avait prise, j'ai pas réfléchi pis je lui ai sauté dessus.

— Écoute, le *kid*, recommence plus jamais ça… mais dans les circonstances, je t'avoue que t'as bien fait. *Anyway*, Loiselle s'en retourne à Trois-Rivières. Ça a rien à voir avec votre chicane d'hier. On a changé les plans avec nos défenses.

— OK! On va être fort, les Estacades, échappe faiblement Félix qui n'en croit pas ses oreilles.

— Pas tant que ça, parce qu'on a aussi changé d'idée à propos de toi. Tu vas plus jouer midget. On te garde ici, avec nous.

— Ah ouais ?

— Ben voyons ! T'as pas l'air content !

— Je suis super content, coach. Je suis juste surpris. J'étais certain que je venais ici pour me faire couper aujourd'hui. J'ai même fait mes valises à matin pis ma mère est partie avec presque toutes mes affaires l'autre jour.

— Tu déferas tes valises après l'entraînement parce que tu vas passer l'hiver à Rouyn. À part l'histoire d'hier, on a adoré ton attitude, autant sur la glace qu'en dehors de la patinoire. On va travailler avec toi pour que tu te renforces, mais on a confiance que tu vas faire une belle job, pour un *kid* de seize ans. Autre affaire, parles-en pas tout de suite parce qu'y a peut-être encore deux ou trois autres changements à faire, pis ça implique évidemment des gars dans le vestiaire. Tantôt, monsieur Lafrenière va te rencontrer avec notre conseiller pédagogique, parce que là, les vacances sont finies, il est temps que t'ailles à l'école.

— *Good*, les journées vont être moins longues ! Merci, coach, et je suis content d'avoir prouvé que j'avais raison !

— Raison de quoi, Riopel ?

— J'avais raison à Drummondville, au *draft*, quand vous m'avez dit qu'y avait pas de place pour moi dans votre club !

— C'est vrai qu'y avait pas de place… sauf que t'as trouvé le moyen de t'en faire une. Allez, sors d'icitte avant que je change encore d'idée.

Survolté par cette nouvelle aussi fabuleuse qu'inattendue, Félix vole littéralement sur la patinoire à l'entraînement. De retour chez les Casault, il sort courir un dix kilomètres tellement il a d'énergie. Après le souper, incapable de ne pas partager l'heureuse nouvelle, il téléphone à sa mère pour lui raconter ce qui s'est passé en lui faisant jurer de ne pas en glisser un traître mot à quiconque, même pas à Véronique, ni à Carl ni à Emma. C'est sa vie et c'est à lui de leur apprendre la nouvelle, quand le temps sera venu.

Comme les Huskies viendront jouer à Shawinigan dans une dizaine de jours et que son fils sera toujours avec le club à ce moment-là, Line repousse son projet de retourner le voir à Rouyn. Elle le regrette lorsqu'elle voit les résultats lors des bulletins télévisés de fin de soirée. Avec le retour de tous les vétérans sauf Matejovsky, les Huskies remportent facilement leurs deux parties à l'horaire et Félix ajoute trois autres mentions d'aide à sa fiche, ce qui le propulse au sommet des marqueurs chez les recrues du circuit Courteau, avec 8 points en 7 parties.

La semaine suivante, la bande de Richard Caisse se déplace pour disputer deux rencontres à l'étranger : à Shawinigan le vendredi puis à Victoriaville le dimanche. Devant toute sa famille venue de Louiseville, sa blonde et un grand nombre de ses amis, Félix offre une performance magistrale face aux Cataractes. Les Huskies l'emportent aisément au compte de 7 à 3 et le jeune joueur de centre de seize ans récolte deux buts et une passe. Il est nommé deuxième étoile de la rencontre. Après le match, comme l'équipe couche à l'Auberge Gouverneur, située près de la rivière Saint-Maurice, l'entraîneur donne la permission aux joueurs qui ont de la famille dans les gradins d'aller casser la croûte au restaurant, à condition de rentrer avant minuit trente.

Après avoir accordé une entrevue aux représentants du quotidien *Le Nouvelliste* et de *L'Hebdo du St-Maurice*, Félix retrouve ceux qu'il aime dans le hall du Centre Bionest. Dès qu'elle le voit sortir du corridor menant aux vestiaires, Emma se précipite dans ses bras pour l'embrasser. Un peu gêné, il n'ose pas la repousser, car ils ne se sont pas vus depuis maintenant un mois. Elle est encore plus belle que dans ses souvenirs et il la garderait collée contre lui toute la nuit, si c'était possible.

Quand ses coéquipiers passent en applaudissant et en sifflant, les deux tourtereaux comprennent que le lieu est peut-être un peu mal choisi pour s'enlacer de la sorte.

Dès qu'il cesse d'embrasser sa belle Emma, Félix est immédiatement encerclé. Tout le monde est fier de lui. En plus de sa mère et de sa sœur, ses oncles et ses tantes sont là, Carl avec Paul et Vicky, les parents de sa dulcinée et Maurice Thibodeau, le président du hockey mineur de Louiseville. Après avoir passé quelques minutes à jaser et à prendre des photos, Félix remercie tout le monde et explique poliment qu'il faut se dépêcher s'il veut avoir la chance de manger un peu avant d'aller rejoindre les Huskies à l'hôtel. Comme l'heure est à la fête, sa mère a déjà réservé pour dix personnes à La Pinata. Avant de partir, Félix fait un signe de tête à Carl en regardant Emma pour qu'elle comprenne qu'il aimerait pouvoir parler seul avec son meilleur ami. Les deux inséparables compères marchent ensemble vers le stationnement quand Félix saisit Carl par les épaules, le regard rempli de fierté et de satisfaction.

— On l'a fait, *buddy*. On a réussi nos paris. Ne le dis pas tout de suite, mais je ne retourne plus à Louiseville. Les Huskies ont changé d'idée. Je suis confirmé avec le club, à Rouyn. J'ai réussi à déjouer les pronostics ! Comme toi.

— Je suis tellement fier de toi, Félix ! Je le savais que tu réussirais. J'en ai jamais douté. Pas même une petite seconde.

— On est forts en maudit !

— Toi, t'es fort, Félix. Moi, je joue plus au hockey, le gros. C'est fini depuis une semaine, avoue Carl, déçu de gâcher ce beau moment.

— Comment ça, fini ?

— Fini comme dans *terminato. Game over. That's it, that's all.*

— C'est quoi, l'affaire de *terminato* pis de *game over*? T'as fait le BB, Carl?

— Tu veux dire que j'avais fait le BB. Tout a changé la semaine passée. Quand Loiselle est revenu dans le midget AAA, Hugo Labelle a été coupé. Il s'est ramassé dans le AA où il a *bumpé* Victor Denommée, qui lui s'est rapporté à Louiseville dans le BB… pis je me suis fait tasser à mon tour, avant-hier. *Capice*, le caniche?

— Voyons, *man*… Pourquoi tu m'as pas dit ça avant? Carl, ça a pas de bon sens, cette histoire-là.

— Ça a plein de bon sens, Félix. C'est pas grave. J'ai essayé pis ça a pas marché. Là, je vais faire plus de musique et je vais suivre les Huskies sur le Web.

— Merde! Dans le fond, c'est la faute au gros Loiselle, analyse Félix. S'il avait fait le club, comme il était censé le faire, il aurait *bumpé* personne et tu serais encore dans le BB. Gros maudit tata de Loiselle! Même sans le vouloir, il trouve toujours le moyen de gâcher notre existence.

Voilà une nouvelle qui démoralise Félix, lui qui, d'ici minuit trente, devra aussi trouver les bons mots pour annoncer à sa belle Emma qu'il ne rentrera pas à Louiseville comme promis.

Pendant que le cœur est à la fête au restaurant, Félix est torturé. Comme il n'a pas encore averti Emma, il ne peut visiblement pas annoncer la grande nouvelle à tout le monde. Seuls sa mère et Carl savent qu'il ne reviendra pas à Louiseville, et même s'il aimerait profiter de l'occasion pour en informer tous les membres de ce joyeux groupe, il ne le fera pas ce soir. Pour le moment, il est triste pour son meilleur ami. Il cherche encore comment aviser son amoureuse de la situation sans déclencher une crise de larmes. Et il perd aussi beaucoup d'énergie à maudire Loiselle, qui est venu tout foutre en l'air en retournant avec les Estacades du midget AAA.

Le numéro 57 des Huskies repasse les événements dans sa tête. Son esprit divague en cherchant inutilement des solutions. Mais même s'il se creuse les méninges, Félix ne peut imaginer que son destin et celui de son meilleur ami ont changé quand Alexander Ovechkin s'est blessé à un genou en match préparatoire contre les Blue Jackets. Qui aurait pu penser que le sort d'un défenseur midget BB de Louiseville puisse être lié à l'état de santé de la grande vedette des Capitals de Washington ? Qui aurait pu prévoir que les destinées de Félix Riopel et de Carl Lapierre prendraient une tournure aussi inattendue parce que le défenseur James Wisniewski avait sorti la hanche par réflexe devant le capitaine des Caps ?

Fatalité ? Peut-être pas. Car s'il savait tout ce qui s'est tramé dans le bureau de Richard Caisse, Félix pourrait peut-être comprendre pourquoi Carl va dorénavant gratter sa guitare plus souvent.

Suivant la théorie des dominos ou celle voulant que le battement d'ailes d'un papillon puisse déclencher une tornade à l'autre bout du monde, la sérieuse blessure d'Alexander Ovechkin a engendré une multitude de réactions insoupçonnées qui vont bouleverser la vie de Pavel Matejovsky, de Félix, de Carl et de Cédrick Loiselle… mais aussi celle de Line, de Véronique, d'Emma et de bien d'autres encore.

À suivre

Note aux lecteurs

Les noms et les personnages ainsi que les événements que l'on retrouve dans ce roman ne sont que pure fiction. Seuls les noms des joueurs de la LNH sont réels, mais leur association à cette œuvre demeure aussi de la fiction. Les noms des ligues de hockey, des villes, des amphithéâtres et de la plupart des établissements commerciaux qui sont cités dans ce roman existent réellement.

Toute ressemblance avec qui que ce soit s'avère une coïncidence.

Table des matières

DU MÊME AUTEUR

La LNH, un rêve possible – Tome 1 : Les premiers pas de huit hockeyeurs professionnels québécois, Montréal, Hurtubise, 2008.

La LNH, un rêve possible – Tome 2 : Rêves d'ici et d'ailleurs, Montréal, Hurtubise, 2011.

Suivez-nous

Réimprimé en octobre 2015
sur les presses de Marquis-Gagné
Louiseville, Québec